슬기로운 은퇴생활

손준호

목차

1. 가족과 친구 재발견

2. 책을 벗 삼아

3. 취미 찾기 & 자기 개발

4. 여행으로 삶의 활력충전

직장에서 은퇴를 하고 인생 후반전에 돌입한 지 벌써 만 5년이 지났다.

요즘 베이비부머 세대의 은퇴가 본격화 되면서 이들의 은퇴이후 생활이 사회적인 관심사로 대두되는 듯하다. 인생 백세시대에 나이 50~60대에 은퇴를 한 베이비부머는 뒷방 늙은이로 살기에는 너무 이르고 체력, 능력, 일할 의지 등 모든 면에서 아직은 쓸 만 하다는 것이 은퇴자들의 근거 있는(?) 자신감이다.

은퇴는 영어로 타이어(tire)를 다시(re) 갈아 끼우고 새롭게 출발하는 것이라는 말에 용기를 얻어 내가 그동안 틈틈이 써 온 이야기를 종류별로 묶어본 책이다.

먼저 가장 가까운 가족과 친구들이 눈에 들어온다. 은퇴 전에는 바빠서, 시간이 없다고 관계를 소홀히 했다면 이제 다시 따뜻한 눈길로 보듬고 새롭게 관계를 재정립해 나아가야 할 소중한 존재들이다.

두 번째로 나의 여가 시간을 의미 있게 채워준 친구 같은 책이다. 주로 인문학 관련 책이지만 새롭게 미술, 역사, 일상의 소중한 삶의 중요성에 눈뜨게 해 준 책들이다. 읽은 후 독후감과 나의 생각을 덧붙였다.

세 번째는 취미와 자기개발로 정의할 수 있는 부분이다. 운동, 성악, 글쓰기, 요리 등 처음 시도해본 것 들이다. 나름 배우는 재미가 쏠쏠했다.

마지막으로 일상의 생활에 활력을 불어넣는 여행이야기다. 가장 최근 다녀온 유럽, 몽골, 제주, 홍성이야기로 추억의 한 장을 채웠다.

은퇴하고 이렇게 후반전을 보내는 삶도 있음을 알리고 싶었다.

베이비부머들의 멋진 인생 후반전을 적극 응원합니다.

1.가족과 친구 재발견

사랑하는 동재야

  ※이 글은 막내가 대학 입시를 앞두고 있던 때 수험생활을 잘 하기를 바라며 당부의 말을 편지글로 작성한 것임.

  -2013.5.10. 사무실에서 씀

사랑하는 동재야!

  요즘 고민이 많지? 옆에서 지켜보니 네가 요즘 너의 장래 진로에 관하여 진지하게 고민을 하고 있는 것 같아서 아빠는 한편 걱정도 되고, 한편 대견하기도 하다. 지금 대학입시에 매진하여야 할 때인데 하는 걱정과, 다른 한편 우리 동재가 자신의 앞날에 관하여 진지한 고민을 시작할 정도로 성숙하였다는 점이 대견하다.

  대학입시 준비를 본격적으로 하여할 이 시점에서 너에게 아빠가 진심으로 전해주고 싶은 말이 있어서 몇 자 적어본다. 이런 말을 그냥 말로 할 수도 있겠지만 그러면 또 잔소리가 되기 싫고, 너도 잔소리는 싫어하잖니? 아빠도 남으로부터 잔소리를 듣는 것은 마찬가지로 싫다.

  대학입시가 왜 중요한지는 더 말하지 않아도 네가 잘 알 것이다.

우리사회는 사람을 평가함에 있어 그 사람의 실력이나 능력보다는 출신학교, 학벌 이런 부문으로 평가하는 경향이 아주 크단다. 일종의 꼬리표라고나 할까? 한 번 달린 꼬리표는 네가 사회생활을 할 때나 결혼할 때나 아니 죽을 때 까지도 너를 따라 다닌단다.이 표는 떼어낼 수도 없고 바꾸어 달수도 없는 운명과도 같은 거란다 기왕이면 좋은 꼬리표 남들이 인정해주는 꼬리표를 달면 너도 자랑스럽고 아빠 엄마도 자랑스럽지 않겠니.이미 너의 누나들은 그 어려운 대학시험 관문을 무사히 통과하여 대학생활을 즐기고 있지 않니?

너도 힘들지만 그 과정을 이겨내고 대학입시라는 관문을 지나야만 한다.

대학입시는 전쟁이다.

옛 말씀에 공부는 흐르는 물을 거슬러 배를 나아가는 것과 같아서 앞으로 나아가지 않는 한 후퇴하는 것(學問 如逆水行舟 不進則退)이라고 하였다. 쉬임 없이 노를 저어 앞으로 나아가지 않고 머물러 있으면 물살에 휩쓸려 떠내려간다는 이야기지 공부야 말로 끊임없이 노를 저어 앞으로 나아가야 하는 힘겹고도 지루한 일이다. 하지만 대학입시를 피할 수 없는 것이라면 그 또한 즐기면서 해나가야지 피해갈 방법은 없는 것이다 너도 잘 알다시피...

입시를 위하여 너에게 남은 시간은 이제 1년 6개월 이다 고등학교 입학한 것이 엊그제 같은데 벌써 1년 5개월 반이 지나갔다. 남은 시간도 지나온 시간처럼 금방 지나 갈 것이다.시간은 누구에게나 공정하게 주어진 것이지만 어떻게 활용하는가에 따라 2배가 되기도 하고 1/2로 줄 어들 수도 있는 것이 시간이다. 그만큼 잘 활용하여 시간 을 효율적으로 사용해야 대학입시도 성공할 수 있는 거 란다.

아빠도 대학입시를 지나 왔다. 지나온 과정을 돌이켜 보 면 많은 후회와 아쉬움이 교차한다. 학교 다닐 때 좀 더 열심히 할 걸 좀 더 체계적으로 계획을 세우고 실천했더 라면 더 낳은 결과를 가질 수 있지 않았을까? 하는 아쉬 움과 후회가 있다. 지나고 나서 후회하는 것은 아무 도움 도 안 되지만 이제 입시라는 관문 앞에선 너는 아빠와 같 은 후회를 하지 않기를 바라고 네가 원하고 바라는 대학 에 당당하게 합격하여 인생의 첫 관문을 훌륭하게 지나 가기를 바라는 부모의 마음이라고 네가 이해해 주었으면 좋겠다.

사랑하는 동재야?

너는 아빠가 보기에는 누구보다 공부를 잘 할 수 있는 자질과 능력을 타고난 것 같다.이 말은 아빠가 괜히 듣기 좋으라고 하는 말이 아니라 너의 공부하는 모습을 보고, 너의 성적이 나오는 결과를 보면 엄마나 아빠가 같이 공감을 하는 부분이다.지금도 너는 잘 하고 있다. 하지만 대학입시라는 관문을 통과하기 위해서는 너의 능력을 풀가동해야 할 것 같다 왜냐하면 입시는 전쟁이기 때문에 조금이라도 방심하고 준비가 소홀하면 실패할 수도 있는 것이 입시이기 때문이다. 아빠의 경험이 너에게 반면교사가 되기를 바란다.

동재야 아빠가 너에게 몇 가지 당부를 하고 싶다.

꼭 마음에 새겨서 실천해 주고 우리 집 마지막 입시생으로서 대학입시를 잘 치르고 더 넓고 더 큰 세상으로 나아가서 너의 뜻을 마음껏 펼치고 훌륭한 인재가 되어주기를 바라는 아빠의 간곡한 부탁이다.

첫째, 시간을 효율적으로 사용하여라

공부도 전략이다. 계획을 잘 세우고 매일 매일을 차질 없이 실천해 나가는 가운데 너의 실력이 차츰차츰 향상되어 가면서 너의 목표에 한걸음 더 다가갈 수 있다.학습계획표를 만들고 일일/주간/월간 단위로 점검하여 학습진도를 관리하고 부족한 부분은 남는 시간에 보충하여 밀도 있는 시간을 보내야 한다. (추천 : 학습다이어리를 활용하여라.)

계획을 세우고 실천하는 과정에서 아빠와 엄마의 도움이 필요하면 언제라도 도움을 요청 하여라 언제든 어떤 일이든 도와줄 마음의 준비가 되어있다.

둘째, 너의 능력을 100% 발휘하여라

너는 잠재력과 능력은 어느 누구에게도 뒤지지 않는다. 다만 생각이 깊고 신중해서 그 것을 끌어내고 실천하는 부분이 조금 더딘 듯 하니 이제부터라도 조금 서두르고 분발하여 너의 능력을 100% 발휘한다면 지금보다 훨씬 향상된 모습을 보일 수 있을 것이다.

셋째, 공부는 네가 주도적으로 해야 한다

모든 일은 스스로 계획하고 실천해서 성과가 나올 때 보람을 느낄 수 있는 것이다. 남이 너의 일을 대신해서 해 줄 수가 없다. 특히 공부는 본인이 필요성을 느끼고 주도적으로 실행할 때 성과도 나오고 공부의 즐거움도 느낄 수 잇는 것이다.

사랑하는 동재야?

너는 우리 집안에서 마지막으로 대학 입시를 치르는 희망이다.

아빠가 할아버지의 마지막 희망이었듯이 너도 아빠의 마지막 희망이다. 우리 가족 모두는 너를 소중히 생각하고 네가 우리 집안의 자존심을 세워주기를 바라고 있다.

50년 전 너의 할아버지는 잠자는 큰 아빠를 보면서 "정수리로부터 찬물을 들이부어 잠자는 너를 깨우고 싶다"고 사진첩 뒷 표지에 글을 남기셨다. 그 마음 그 심정으로 아빠가 너에게 부탁한다.

깊은 잠에서 깨어나라!!

병아리가 알에서 깨어나 새로운 세상으로 나아가기 위해서는 안에서 알을 쪼고 밖에서 어미닭이 쪼고 해서 협동해야만 한다는 줄탁동시(啐啄同時)의 故事를 생각하면서 우리 함께 힘을 모아보자.

사랑하는 동재야!

우리 모두는 네가 힘찬 기지개를 켜면서 깨어나 의욕적으로 앞으로 뚜벅뚜벅 걸어 나아가는 모습을 보고 싶다.

동재 파이팅!!!

동재 위문편지

※이 글은 동재가 군대 훈련소에서 신병훈련을 받고 있을 때 보낸 편지임

사랑하는 동재야!

동재야 훈련 잘 받고 있지? 아빠야

네가 군대에 간 지 도 벌써 3주가 지나고 훈련을 마칠 시간도 얼마 안 남았네 날씨가 더워지는 데 훈련은 받을 만한 지 궁금하구나?

지난 번 집으로 전화했을 땐 갑자기 전화를 받아 무슨 말을 해야 할 지,궁금한 것도 제대로 못 물어보고 전화를 끊었다고 엄마가 잔소리를 하더구나. 마침 엄마는 세탁소에 세탁물 맡기러 갔다가 통화를 못하고 섭섭해서 울었단다. 우리 가족 모두 너를 그리워하고 빨리 보고 싶어서 퇴소식 날 만을 기다리고 있다.

훈련 받으면서 몸이 아프거나 불편한 것이 있으면 소대장님이나 교관님들한테 이야기를 해라. 아픈데도 참고하는 것은 괴로운 것이고 군대도 병사가 한 사람 한 사람 모두 소중하기 때문에 몸이 아프거나 훈련에 어려움이 있으면 적극적으로 해결해 주려고 할 것이다.

아빠는 그동안 일과처럼 매일 번개 홈피에 들어가서 너희들 훈련받는 사진 가족들 편지만 눈팅했지 너에게 편지 한 장 쓸 생각을 못했구나. 미안하다. 변명 같지만 무소식이 희소식이라고 아빠는 너를 믿기에 훈련을 잘받고 있을거라고 믿고 퇴소식 다가오기만 기다리고 있었단다.

어제는 사격 측정을 했다고 홈피에 올라와 있더구나. 너도 잘했는지 궁금하구나. 군인은 총을 잘 쏘아야 인정받을 수 있단다. 아무튼 남은 기간 훈련 잘 받고 몸 건강히 퇴소식 날 만나자.

우리 집은 이사해서 정리정돈이 끝나고 이제 모든 것이 자리가 잡혔다.

큰 누나와 작은 누나는 수영을 등록해서 다니기 시작했고 주말에는 올림픽 공원에 가면 공기도 신선하고 푸른 신록과 꽃들이 너무 예뻐서 정말 이사를 잘 왔구나하는 생각이 든다.너도 나중에 휴가 때 집에 오면 온 가족 공원으로 소풍 가서 즐거운 시간을 가져보자.

훈련 받는 동안 식사 잘하고 틈틈이 체력단련도 해서 몸을 건강하게 만들어서 훈련을 잘 마칠 수 있도록 신경 써라. 군생활 하는 동안 체력이 있어야 잘 버틸 수 있으니 항상 몸조심하고 다시 만날 때까지 잘 지내라.

2016.5.13. 아빠가

동재 선생님이 되다

2023년 2월 7일 손동재 교사 임용고시 최종합격!

드디어 어려운 임용시험의 과정이 끝났다. 코로나 시국에 마스크 쓰고 맑은 공기도 마시기 어려운 독서실, 스터디 까페에서 힘든 순간들을 참아내고 이룬 값진 합격소식에 울컥하는 마음을 참을 수 없었다. 애썼다 우리 막내! 이제 비로소 알을 깨고 나온 병아리처럼 넓은 세상을 향해 마음껏 뜻을 펼칠 수 있는 새내기 선생님이 되었구나.

처음 임용시험 준비를 시작한다고 할 때 한편으로 대견하기도 하면서 다른 한편 어려운 시험의 고비를 이겨내고 합격할 수 있을까 걱정도 많이 되었다. 나도 젊은 시절에 고시준비를 해본 경험이 있어서 동병상련의 심정으로 응원하기도 했다. 하지만 보란듯이 어려운 관문을 뚫고 합격소식을 알려오니 막내가 자랑스럽고 부모로서 보람되기 그지없다. 자랑같지만 우리 집안에는 교육자가 많은 편이다.4촌 형님들 중에는 교장, 교감, 장학사 출신이 많고 우리 집 만해도 둘째, 넷째 형수가 중학교, 초등학교에서 선생님으로 정년을 보내신 터라 교육자 집안이라 할 만하다.

이제 새내기 선생님으로 첫 출발을 하는 막내를 위해 우리 가족들은 저녁 식탁에서 동재가 어떤 선생님이 되어야 할 지 가족토론을 해 보았다.각자의 경험과 생각을 모아 본 결과 두 가지 방향이 도출되었다.

첫 번째는 지식을 재미있게 전달해주는 선생님

요즈음은 예전과 달라서 칠판에 판서위주로 지식을 전해주면 동영상, 이미지 습득에 능숙한 아이들에게 지루한 수업이 될 우려가 있으니 여러 가지 영상매체를 잘 이용하여 재미있게 지식을 전달해주는 선생님이 좋겠다는 의견이 있었다.

두 번째는 삶의 방향, 진로에 대한 길을 제시해주는 선생님

내 경험에 비추어 보아도 지나간 학창시절 겪어본 수많은 선생님 중에서 생각나는 선생님은 생활 태도, 공부의 재미를 알려주신 선생님이 더 오래 기억에 남았다. 초등학교 5학년 때 김 선생님은 정의감, 강직한 선생님의 모습으로 바른 삶을 살아가라는 교훈을 남겨주셨다. 중학교 때 우 선생님은 양심적이고 솔직함을 깨우쳐 주셨다.고등학교 때 박 선생님은 문학의 재미와 꿈을 가르쳐 주셨다.

동재는 성격이 올바르고 정의감이 남다른지라 지식의 전달도 물론 중요하지만 인생의 방향타가 되어줄 것 같은 선생님이 좋겠다고 의견을 모았다. 조선시대에는 스승의 그림자도 밟지 않는다 할 정도로 존경과 위엄의 대상이었지만 요즈음은 달라진 세태만큼 위상이 달라져서 걱정되는 면도 있지만 그래도 한 아이의 인생에 적잖은 영향을 미친다면 그 또한 의미있고 보람된 일이라 할 것이다.평범한 직업인보다는 학생의 삶의 본보기가 되고 인생항로에 한 줄기 빛을 비춰준 스승으로 기억되기를 바라본다.

　이제 막 닻을 올리고 출항하는 배처럼 닥쳐올 풍랑과 거센 바람을 이겨내고 멋진 스승의 길을 헤쳐 나가는 멋진 선장의 모습을 기대한다.

　손동재 號의 멋진 항해를 기원하며!!!

막내의 첫 월급

새빨간 내복을 입고 입 벌리며 잠든 예쁜 아이/낡은 양말 깁고 계신 엄마 창밖은 아직도 새하얀 겨울 밤/한 손엔 누런 월급봉투 한손엔 따뜻한 풀빵 가득 오~예/한 잔 술로 행복해 흥얼거리며 오시는 아버지/그리워요 눈물이나요 가볼 수도 없는 곳/보고파요 내 뛰놀던 그 동네 날 데려가 준다면~♬

－이문세 노래 '빨간내복'의 가사 일부 인용

1990년대 평범한 가정을 고스란히 보여주는 추억의 장면에는 빨간색 내복이라는 아이콘이 있다. 팔꿈치와 무릎에 구멍이 나고 고무줄이 헐렁해진 빨간 내복이라도 한 벌만 걸치고 있으면 추운 겨울을 거뜬하게 날 수 있었다.부모님의 장수와 건강을 기원하는 의미를 담아 과거 선물용으로 인기였던 빨간 내복은 소재가 일본에서 만든 '엑슬란'이라는 상표가 붙은 두꺼운 천으로 만든 속옷으로 1930년대 후반부터 등장한 석유화학 기술의 산물이었다.(KISTI의 과학향기 인용/인터넷참조)

언제부터인지 정확히 모르지만 직장에 취직하여 첫 월급을 받으면 부모님의 내복을 사드리는 것이 마치 오래된 전통인 것처럼 당연시 되었다. 막내가 임용고시를 통과하여 첫 직장으로 발령받은 학교에서 근무를 시작한지 두 달이 되어 간다. 원룸을 얻어주기 위해 2월초에 제천시에 다녀 온 후로 그동안 잘 지내는지 궁금하기도 하고 보고 싶기도 해서 아내와 함께 주말에 차로 제천에 내려갔다. 3월에 신학기를 시작하였으니 당연히 첫 월급을 받았으려니 생각했지만 거리가 멀다보니 자주 내려가 보기는 어려웠다. 마침 막내가 첫 월급 턱으로 식사대접을 하겠다고 우리부부를 초대하기에 즐거운 마음으로 내려갔다.

원룸에 들어서니 예상했던 대로 방이며, 책상이며 화장실 등 모든 곳이 정리가 안된 채로 어수선한 가운데 주방이며 냉장고도 제대로 정리가 안 된 상태로 살고 있었다. 첫 직장을 객지에서 시작하다 보니 학교생활도 적응하기 벅찬데 집 정리는 생각도 못하고 그저 하루하루 생활에 급급한 눈치였다.

일단 집안청소와 정리정돈이 급선무였다. 나와 집사람은 팔을 걷어 부치고 청소부터 시작했다. 나는 화장실 청소, 집사람은 주방 및 냉장고 정리로 역할을 분담하여 작전하듯이 빠르게 작업을 진행했다. 화장실에는 배수구에 머리카락이 수북이 쌓여 우선 종량제 봉투를 가져와서 머리카락을 쓸어 넣고 주방세제로 구석구석 닦아내고 샤워기로 말끔하게 씻어 내니 깔끔해 졌다. 다음은 방청소를 했다. 우선 청소포로 방바닥을 힘주어 빡빡 문지르니 그동안 찌든 때가 새카맣게 걸레에 묻어 나온다. 힘을 들여 문지르다 보니 방 하나 걸레질하기도 만만치 않았다. 한 번 닦아내고 나서 다시 새 걸레로 두 번째 닦아내도 여전히 검은 때가 묻어 나온다. 힘을 들여 닦아도 때가 계속 나오니 걸레질을 멈출 수가 없다. 세 번째 이번이 마지막이다 생각하고 없는 힘을 짜내어 걸레질을 하니 그제야 바닥이 깨끗해지며 말끔한 모습을 드러낸다.

한편 집사람은 주방과 냉장고 정리를 하는데 냉장고 속에는 음식 남은 것과 식자재가 오래되어 모두 버려야만 해서 음식물쓰레기 봉투로 3봉지를 버리고 음식 담았던 용기도 모두 개수대에서 씻어 버려야만 했다. 그 다음은 책상정리 차례다. 집으로 학교 일거리를 가져와서 책상 위에 아무렇게나 펼쳐놓은 서류며 각종 수업자료가 어지럽게 널려 있었다. 아이들의 간이설문 자료를 읽어보던 집사람은 마치 아이들이 눈앞에 보이는 것처럼 사연마다 안타까운 맘이 들어서 당장 그 아이들을 데려다가 한마디씩 조언을 하고 싶은 생각이 들었다고 나중에 이야기했다.

식사를 함께 한 후 까페에 가서 두 달 동안 경험한 학교생활에 대한 이야기를 들었다. 먼저 막내가 이야기 하는 선생님의 애환이다. 말로만 들었던 잡무가 너무 많다는 것이다. 수업준비보다도 잡무처리에 들이는 시간이 훨씬 많다는 것이다. 각종 공지사항 및 지시사항 전달 게다가 아직 학교 시스템에 대한 이해도 부족한 초짜(?) 교사에게 부과되는 각종 대외 업무 및 행사 준비 등 내가 봐도 너무하다 싶을 정도로 업무량이 과중해 보였다. 나의 신입사원 시절과 비교해보면 훨씬 더 많아 보였다.

또한 학교 특성상 어쩔 수 없이 해야 하는 생활지도 업무도 어렵기는 마찬가지였다. 가정형편이 어렵고, 공부에 의욕이 없는 학생들을 접하며 벌써부터 선생으로써 좌절감을 느끼는 듯 싶었다.수업시간에 학생들 대다수는 졸고 있으며, 수업에 집중하는 아이는 손에 꼽을 정도며 게다가 코로나 시국에 중학교를 다니고 온 탓에 기초 학력이 부족하여 수업내용을 이해하기 어렵단 것이다. 설상가상이란 말이 딱 어울린다. 이야기를 듣다보니 막내가 겪는 고초가 눈에 모이듯 선하고 안타까운 맘 금할 수 없었다.

여러가지 학교 환경과 학생들 이야기를 들으며 많은 생각을 했다. 어떻게 이 난국을 헤쳐 나갈 지 머리를 맞대고 고민을 해봤다. 우선 생활태도를 바로잡는 것이 중요할 것 같았다.지각 안하기, 수업시간에 졸지 않기, 점심시간 식사예절 지키기, 방과 후 수업 잘하기 등등...기초가 부족한 아이들을 위해서 중학교 수학부터 차근차근 지도하는 것이 더 시급해 보였다. 수학은 단계별로 쌓아가는 과목이라 중학교 과정에 대한 기초가 부족하면 고등수학은 더 어려울 수밖에 없다. 지금이라도 중학 수학의 기본을 다시 가르쳐서 기본기를 다져 놓는 것이 더 중요할 것 같았다.

마지막으로 학생들에게 책을 가까이 하는 습관을 들여주는 것이 여러모로 좋겠다고 생각했다. 기초학력도 부족하고 학교에 대한 흥미도 못 느끼는 아이들에게 기초 소양을 키워줄 위인전이나 교양서적을 통해 마음의 각성을 유도할 수 있다면 학교생활이 더 재미있고, 공부의 맛도 느낄 수 있지 않겠나 싶었다. 어려운 환경에서 첫 직장생활을 잘 해내기 위해 애쓰는 막내가 대견하면서도 한편으로 이런 과정을 거쳐 차츰 발전해 간다면 훌륭한 선생님이 될 것이란 희망을 보면서 뿌듯했다.

가족 독서토론

다른 집에는 없는 우리 가족만의 독특한 문화가 있다. 바로 가족 독서토론인데 함께 책을 읽고 토론을 하는 모임이다. 원래 2013년에 처음으로 독토(독서토론의 준말)를 시작하여 2019년까지 계속하다가 가족들이 여러 사정으로 지속하기 어려워져 몇 년 간을 쉬다가 다시 시작하기로 뜻을 모아서 4년 만에 재개하게 되었다. 그 기간 동안에 가족들에게 여러 가지 많은 일들이 있었다.

우선 나는 2018년도에 은퇴를 해서 은퇴 5년차에 접어들었다. 집사람은 금년도에 완전한 은퇴생활에 접어든 초보 은퇴자다. 큰딸 희정이는 작년에(2022년)에 프랑스로 제과제빵 공부를 위해 유학을 떠났다. 막내 동재는 금년도에 교사 임용고시에 합격을 하여 제천에 있는 고등학교 수학선생님으로 근무 중이다. 그동안에는 직장 퇴직, 유학 및 임용시험 준비 등으로 각자 바빠서 시간을 내기 어려웠으나 이제 어느 정도 생활도 안정이 되고 마음의 여유도 생겨서 다시 토론을 해보기로 의견을 모았다.

과거 토론을 했던 경험을 되살려보면 여러 가지로 유익함이 많았던 시간이었다. 우선 가족 간에 책을 읽는 시간을 갖는다는 점이다. 우리나라 성인의 1년 독서량이

1~2권에 불과한 형편에서 월간 최소 1권이상의 책을 가족들이 모두 읽는다는 것이 쉽지 않은 일이다 .그리고 책을 읽고 나서 느낀 점과 토론할 주제를 발굴하여 상호 토론을 한다는 것도 책을 깊이 이해하는 데 큰 도움이 된다. 또한 가족 간 주제 토론을 통한 소통의 시간을 갖는 것이 가장 의미 있는 독토의 장점인 것이다.

이번 독토는 <죽은 시인의 사회> 라는 영화로도 제작되었던 클레인 바움의 작품을 토론 책으로 골랐다 선정 이유는 마침 동재가 학교 선생님으로 근무를 시작하기도 했고 우리나라 교육제도의 문제점을 현장에서 느끼면서 서로가 개선점을 찾아보자는 다소 거창한 의도(?)와도 맞는 것 같아 내가 주장하여 토론 책으로 골랐고 주제 발제 및 토론 진행도 내가 주도했다.

이 책의 주제는 진정한 교육이란 무엇이며, 스승이란 어떤 역활을 해야 하는지를 미국의 웰튼 아카데미를 소재로 하여 키팅 선생의 교육방식을 모델로 보여주는 책이다. 내가 선정한 주제는 키팅 선생의 교육방식에 대한 각자의 의견을 들어보고 한국과 미국의 교육방식을 비교하고, 마지막으로 키팅 모델이 한국의 현실에서도 적용가능한지 토론해보고자 했다.

결론은 키팅 선생의 교육방식이 올바른 교육 방향이라

는 점에 이견은 없었지만 입시위주의 주입식 교육을 위주로 한 한국적 상황에서는 그대로 적용하는 데 여러 가지 문제가 있으니 현실에 맞는 변용이 필요하다는 의견이 도출되었다. 특히 현재 동재가 근무하고 있는 학교는 학교 특성상 여러모로 어려움이 더 많아서 좀 더 세밀하고 실현가능한 적용방안을 고민해야 한다는 의견이 많았다.(이상과 현실의 차이가 큼)토론 과정에서 막내가 초임교사로서 느끼는 교사근무 적응상의 어려움과 경험 부족 및 업무량 과다에 따른 피로감 등 공감할 수 있는 문제가 다수 도출되었다. 가족들의 여러 가지 조언 및 충고가 난무했지만 그 과정에서 우리세대가 다니던 학교현장과 지금의 현실은 너무나 달라져 버렸다는 점을 이해하게 되었고 그럼에도 불구하고 교육의 본질적 기능은 바뀐 것이 없으니 변하는 사회현실 속에서 참된 교육을 실현하고 학생들을 올바로 키우기 위해서는 선생님들의 노력과 제도적 변화 및 지원이 절실하다는 다소 교훈적인 결론으로 토론이 마무리 되었다.

이번 독토는 그간 임용 시험 준비로 고생한 막내를 위로하고 가족간 단합을 도모할 목적으로 제천에서 1박2일로 진행되었고 청풍호 주변 관광 및 독토를 겸한 가족여행으로 했다. 여행 첫날에는 청풍호 모노레일을 타며 맑은 공기를 맘껏 느꼈고 둘째 날은 유람선을 타고 충주호 물살을 헤치며 선상의 여유를 만끽했다. 다음 번 독토는

서울에서 여름방학 기간에 하기로 약속을 하고 아쉬움을
남긴 채 돌아왔다.

코로나 유감 아! 어머니

「금일 ○○구청 코로나 확진자 ○명 발생, 발생장소 방역및 소독 완료. 역학조사 시행중

자세한 내용 구청 홈페이지 참조 요망 」

오늘도 일상처럼 코로나 환자 발생 안내문자가 산발적으로 수신된다. 매스컴에선 연일 환자 발생건수가 3~4백 명 대를 오르내리며 도무지 물러날 기미가 없고, 빼앗긴 우리의 일상도 회복될 기미가 없다. 올 한해도 작년처럼 1년 내내 마스크 쓰고, 사람도 못 만나고, 여행도 못가고, 집콕, 방콕하면서 또 1년을 보내야하나 생각하면 정말로 답답하고 우울하다.

그래도 매스컴이 전하는 코로나 확진자 정보는 남의 이야기로만 알고 평소에 사람 만남을 자제하고, 우리 집안은 혹은 나만은 감염의 위험에서 벗어나 있다고 생각하며 지내온 지 1년여쯤 될 무렵, 지난 2월초 우리 집안에 닥친 코로나 쓰나미는 90 평생을 건강하게 살아오신 우리 어머니를 쓰러트리고, 1년 이상 어머니 병간호에 정성을 다 한 우리 오형제를 여지없이 감염시키고야 말았다.

우리 어머니는 아버지가 돌아가신 이후 20여년을 홀로 생활하시며 평소 몸 관리 지병관리를 철저히 하셔서 가족들에게 부양의 큰 부담을 주시지 않으셨던 분이다. 그런데 2년 전 집에서 낙상을 하시어 척추에 부상을 당하고 병원에서 두 번의 시술을 받으신 후로는 혼자 기동하며 일상생활을 영위하기가 어려워져서, 우리 형제들 중 여건이 되는 삼형제가 일주일에 이틀씩 당번을 정하여 어머님 댁에 가서 식사 수발 및 간병을 하며 지냈다.

　그러던 차에 금년도 2월초에 어머님의 몸 상태가 평소와 달리 급격히 기력이 소진되며 몸을 벌벌 떠시면서 식사도 당신 힘으로 할 수 없는 상태가 되었다. 우리 형제는 연세가 있으셔서 기력이 더 쇠하셨는가 생각하며 병원에 모시고 가서 진찰을 받아 보아야겠다고 생각했다. 기동이 불편하여 119응급차를 불러 세브란스 병원으로 입원시켜 드렸다.

　그런데 입원 전 코로나 검사에서 코로나 양성판정이 나오고 말았다. 평소 바깥출입을 못하신 지가 2년이 넘었고 우리 형제와 요양보호사 외에는 외부인을 만난 일도 없는데 왜 코로나에 감염되셨을까? 의문이 일었지만 결과가 양성이라니 정말 청천벽력이 아닐 수 없었다, 하는 수 없이 병간호를 했던 우리 오형제는 물론 병 문안차 방문했던 조카와 손자, 영양제 주사를 놓아주기 위해 방문했던 간호사 4촌 여동생 등 모든 방문객이 코로나 환자

밀접접촉자로 분류되어 검사대상이 되고 말았다. 나를 포함한 우리 오형제도 어머니가 병원에 입원한 이후 모두 보건소에 가서 코로나 진단검사를 받았다.

처음에는 둘째 형님만 양성 판정을 받고 다른 형제는 모두 음성이 나와서 불행 중 다행이라며 안도를 하였다. 그러나 몇 일 뒤 대구로 내려가 자가 격리 중이던 넷째 형이 재검으로 양성판정을 받는 바람에 다른 형제들도 모두 재검을 받은 결과 셋째 형을 제외하고 모두 양성판정을 받는 통에 일가족 여섯 명이 코로나에 감염되는 기막힌 상황이 되고 말았다. 나는 바로 생활치료센터로 입소하라는 보건소의 지시가 있었다. 자가 격리 시 미열과 두통이 있었는데 코로나 증상인 줄 모르고 해열진통제로 대증 치료만 하던 나는 치료센터 입소 후 그것이 코로나 증상임을 깨닫게 되었다.

생활치료센터는 경증/무증상 환자들을 중점 격리 치료하는 곳으로 적극적인 치료는 없고 단지 환자 상태점검 및 증상 대응이 주목적인 듯 싶었다. 나의 경우 두 번의 엑스레이 촬영과 해열진통제 처방으로 알약을 몇 번 받은 것 이외는 별다른 치료가 없었고 다행이 증상도 별다른 것이 없었다. 단지 식욕이 없어져서 식사시간이 다가오는 것이 괴로웠지만 그 외는 불편한 것 없이 10여 일간 격리치료를 받았다.

형제들이 병원과 생활치료센터에서 격리치료를 받는 동안 어머니는 인공호흡기를 부착하고 면회도 안 되는 응급병동에서 생사의 경계를 넘나들며 코로나와 홀로 싸우고 계셨다. 가서 면회를 할 수도 없고 병문안도 할 수 없는 막막한 상황에서 단지 어머니를 뵐 수 있는 방법은 영상통화밖에 없었다. 그렇게 힘든 시간을 버티시던 어머니는 입원 후 2주가 경과한 2월 둘째 주 끝내 코로나를 이겨내지 못하시고 병원에서 홀로 임종을 맞이하셨다. 오형제나 되는 자식이 있었지만 누구 한 명도 임종을 지키지 못하고 홀로 쓸쓸히 마지막 길을 떠나셨다 생각하니 하염없이 흐르는 눈물이 주체할 수 없어 치료소에서 소리죽여 울음을 삼킬 수밖에 없었다 아~ 어머니!

  어머님이 돌아가셨다는 연락을 생활치료센터에서 받으니 그 동안 어머님께 잘못한 일, 소홀히 했던 일만 생각나며, 왜 좀 더 어머니를 잘 모시지 못했을까 어머니는 평생을 우리 형제들 뒷바라지에 항상 노심초사하시며 사셨는데 하는 후회와 자책에 가슴을 치고 말았다. 때늦은 후회는 소용없지만 지금와서 돌이켜보면 코로나는 모두가 안전하다고 방심하는 그 순간에 찾아오는 것 같다.집안에서만 생활하시니 감염 위험이 없다고 생각하고 마스크를 씌워 드리지 못 한 점 ,방문객 모두가 마스크를 더 철저히 착용하였으면 하는 때 늦은 후회가 밀려온다.

  나는 10여 일간 격리를 마치고 집에 돌아와 회복의 시

간을 보내며 지난 일들을 반추해 보니 평소 건강관리가
얼마나 중요하며 코로나에 대한 경각심은 아무리 강조해
도 지나침이 없는 것 같다는 생각이 든다.

어머니 상례를 마치고

2021년 2월. 어느 추운 날 외로운 병실에서 임종하는 자식 하나 없이, 무섭고도 힘든 마지막 가시는 길을 외롭고도 쓸쓸하게 떠나가신 어머니...

어제(4/4) 돌아가신 어머님 유골을 상주 선영에 安葬하는 마지막 장례절차를 마쳤다. 95세 한 평생을 한결같이 자식들 뒷바라지와 걱정에 맘 편할 날 없이 살아오신 우리 어머니, 날이 추워진다는 일기예보가 TV에서 나오면 전화를 하셔서

"준호야 내일 날이 춥단다 내복 단단이 챙겨입고, 출근하거라"

"아휴 엄마! 내 나이가 얼만데 그런 걱정 안하셔도 돼요. 엄마나 날씨 추운데 아낀다고 방에 보일러 끄고 계시지 말고 따뜻하게 해놓고 지내세요"

막내 아들이 환갑을 넘긴 나이에도 더우면 더운대로 추우면 추운대로 자식걱정에 노심초사 하시던 정 많은 어머니셨다. 또한 집안 형제들끼리 우애있게 지낼 것을 항상 강조하시고 몸소 실천하셨던 분이다. 우리 5형제와 손자 손녀들이 기쁜 일이나 걱정된 일 있으면 맨 먼저 전

화로 위로해 주시고 서로 전화로 소통할 것을 주문하시던 분이셨다. 때로는 그 말씀이 잔소리처럼 들려서

"우리는 알아서 잘 할 테니 어머니 건강이나 잘 챙기셔요"

하고 언짢은 대꾸로 맘을 상하게 해 드린 적도 있다. 이제 돌아가시고 나니 모든 것이 불효였고 왜 그때 따뜻하게 말씀드리고 좋은 말로 대해드리지 못했나 후회가 막심이다.

♪ 살다 보면 알게 돼 너나 나나 모두가 어리석다는 것을 ♫

유행가 가사처럼 우리는 모두가 어리석은 존재인가 보다.

♫ 있을 때 잘 해 후회하지 말고 있을 때 잘 해 망설이지 말고 ♫

살아계실 때 좀 더 잘 할 걸 더 자주 찾아뵙고 좋은 구경도 시켜 드리고 더 맛난 것도 대접해 드릴 걸 온통 잘못한 것 뿐이구나 무슨 큰일을 한다고 뭐가 그리 바쁘다고... 지나고 보니 온통 후회되고 다 소용없는 일이 되고 말았다.

어제는 어머님 유골을 상주 선영에 모시는 가운데 봄비도 슬픈 눈물을 산소에 뿌려 주었다. 코로나로 인해 임종

도 못 지켜 드리고 장례도 정상적으로 치르지 못하고 뒤늦게 유택에 모시는 불효를 또 저지르고 말았다. 자식된 도리로 죄송한 마음 애통한 마음 가눌 길이 없었다.

그리운 어머니(自作詩)

보고 싶은 어머니

영정사진 속 어머니는 환히 웃고 계신데

아현동 본가에 찾아가도 누워 계시던 어머니 모습을

이제 더는 볼 수가 없네

그리운 어머니 보고 싶은 어머니

양지 바른 무덤가에 봄풀은 내년에도 다시 피건만

한 번 가신 어머니는 다시 온단 기약없네

그리운 어머니 보고 싶은 우리 어머니

자식 걱정 집안걱정 다 내려놓으시고

아버님 곁에서 영원한 안식을 누리세요

(불효자 준호가 어머님을 그리며)

고아의 봄

2022년 새해가 된 것이 엊그제 같은 데 벌써 3월도 다 가고 있다. 집 근처 올림픽 공원을 산책하다 보니 잔디밭에는 푸른 새싹이 고개를 쳐들고 봄을 맞이할 준비를 하고 있고, 나무에도 새순이 돋고 ,목련도 꽃을 피울 자태를 화사하게 들어내고 있다, 예순 세 번째 봄을 맞이하는 내게 금년 봄은 유달리 쓸쓸하고 서글픈 느낌이 든다.

코로나가 시작된 것이 2020년 1월이니 벌써 3년째 접어들고 있지만 아직도 끝날 기미가 안보이니 도대체 이 코로나는 언제쯤 끝을 보여 줄지 가늠하기가 어렵다 .하루 확진자가 30~40 만명을 오르내리고 사망자도 수백명을 기록 중이니 정말 무서운 전염병인거 같다. 그러나 정부 당국자는 이제 오미크론으로 진화한 코로나는 계절 독감 수준의 낮은 치명율을 보이고 확진자 숫자 대비 사망자 비율이 낮다고 코로나의 위험성을 과소평가하는 듯한 발표를 볼 때 마다 울화통이 치미는 것을 참을 수 없다.

나는 작년, 그리고 금년 2월에 가장 사랑하는 부모님 두 분을 모두 코로나로 잃었다. 작년 2월에는 어머니가, 그리고 금년 2월에는 장모님이 코로나 감염을 이겨내지 못하시고 모두 돌아가셨다. 연세가 95세로 고령이셨던 어머니는 평소 철저한 건강관리로 고령에도 불구하고 비교적 건강이 양호한 상태로 지내오셨으나 코로나 감염을 이겨내지 못하시고 병원 입원 2주 만에 별세하셨다 .장모님은 기저질환(파킨슨병)이 있으셔서 백신도 못 맞으시고 집에서 요양을 하고 계셨는데 코로나에 걸리셔서 입원 4일 만에 돌아가셨다.두 분 다 가족들이 임종도 못 하고 병원에서 홀로 죽음을 맞이하셨다. 참으로 가족으로선 애통하기 짝이 없는 이별이었다. 코로나가 무엇이기에 이렇게 허망하게 사랑하는 가족을 떠나보내야 하는지 할 말이 없었다.

불과 1년 만에 어머님과 장모님을 모두 잃고 나는 그야말로 天涯孤兒가 되고 말았다 .계절의 순환은 어김없어 나무에 새순이 돋고 공원에는 푸른 잔디가 봄이 왔음을 알리고 있지만 내 마음에는 찬바람 쌩쌩 부는 얼음장 같은 마음에 봄이 왔지만 봄을 느낄 수 없다 春來不似春이라더니 내 마음이 딱 그 마음이다.

코로나가 언젠가 사라지겠지만 그 때 까지는 모든 사람들이 철저히 개인위생 및 방역수칙을 잘 지켜서 각자 코로나 위험으로부터 보호해야 할 것 같다. 코로나는 계절 독감이 아니다 고령층, 특히 부모님들에게는 치명적인 전염병이다.얕보다가 큰 코 다치기 전에 조심, 또 조심하여 걸리지 않는 것이 최선의 길이다. 코로나가 물러가서 내 마음에도 화사한 봄이 어서 찾아오기를 바래본다. 강

건너 봄이 오듯, 내 마음에도 봄이 오기를 두 손 모아 빌
어 본다.

상주 성묘

해마다 4월이 오면 우리 집 5형제는 어김없이 尚州에 省墓를 하러 간다. 그곳은 할아버지, 할머니, 큰 어머니 그리고 아버지와 어머니가 잠들어 계신 곳, 우리들의 영원한 마음의 고향이자 선조들이 조상 대대로 살아오셨던 本鄉 같은 곳이다. 생전에 아버님은 상주에만 오면 마음이 푸근해지고 동네 입구에 들어서기만 해도 가슴이 설레이고 기분이 좋아진다고 말씀하셨다. 고향이 주는 마음의 평화, 안식이라는 것이 이런 기분을 들게 한 것 같다. 금년도 성묘는 큰형님이 어머님 돌아가신 날에 맞춰서 성묘를 하는 것이 좋겠다고 하셔서 날을 맞춰서 어머니 2주기 되는 날에 성묘를 하게 되었다.

서울에 사는 4형제와 셋째 형수가 지하철 5호선 개롱역 1번 출구에서 만나서 내차로 7시30분에 출발했다. 대구에서는 넷째 형님이 기차로 청리역까지 와서 고향집과 산소가 있는 栗里까지 걸어서 온다고 했다. 해마다 반복되는 연례행사 같은 거지만 내 마음도 항상 이맘때가 되면 돌아가신 아버지 어머니를 뵈러 간다는 마음에 기분이 설레고 들뜬다. 특히 올해는 우리 집 막내가 임용고시에 합격하여 선생님으로 발령받은 뒤끝이라 산소에 가면 아버지 어머니께 꼭 합격소식을 告하고 술 한 잔 따로 올

40

려야지 하고 맘을 먹고 갔다.

(사실 임용시험 합격자 발표가 나기 1주일 전부터는 내 방에 있는 부모님 영정사진을 보면서 매일 아침저녁으로 절을 올리며 동재의 합격을 도와주십사고 기원 했었다. 아마도 임용시험 합격에는 부모님의 음덕도 크게 작용했으리라 믿고 있다)

산소에 가보니 항상 잔디와 별도로 잡초 특히 토끼풀이 무성하여 풀 뽑는 것이 큰일 이었는데 웬일인지 이번에는 토끼풀이 하나도 안보이고 보라색 제비꽃이 묏등에 예쁘게 피어 있었다. 어머니 살아생전에 우리가 벌초하고 오면 산소에 토끼풀이 얼마나 났더냐 하시며 걱정하셨는데 이제 어머니가 산소에 드시고 토끼풀들을 감시(?)하고 계셔서 그런지 토끼풀이 한포기도 보이지 않으니 신기한 일이라고 어머니가 토끼풀들을 못 자라게 힘을 쓰셨다고 우리 형제들끼리 농담을 주고받았다. 준비해간 酒果脯로 정성껏 祭床을 차리고 아버지 어머니께 인사를 드렸다. 나는 별도로 술잔을 올리며 막내가 선생님이 되었음을 고하고자 묘 앞에 서니 갑자기 부모님이 생각나며 울컥하고 올라오는 감정을 추스를 길이 없이 하염없이 눈물을 흘리며 동재의 합격소식을 알렸다.

아버지 어머니, 동재가 임용고시에 합격해서 수학 선생님이 되었어요.

오늘은 평일이라 같이 못 왔지만 나중에 시간 맞춰 함께 인사 올릴께요.

성묘를 마치고 나서는 과일과 명태포, 막걸리, 떡을 나눠 먹으며 지난 옛 이야기로 대화의 꽃을 피웠다. 날씨마저 구름이 살짝 해를 덮어주는 덕분에 덥지도 않고 바람 한 점 없이 따뜻한 날이었다. 산소주변 언덕배기에는 복숭아나무에 꽃이 만개하여 <고향의 봄> 노래 가사에 나오는 복숭아꽃 살구꽃 아기 진달래♬ 가사가 딱 맞는 풍경이었다.

성묘를 마치고 청리읍내로 나와 점심을 먹었다. 오랜만에 5형제가 다 모였으니 소주 한 잔 하자는 큰형님의 제의로 식당에서 식사와 더불어 반주로 술잔을 기울이며 상주와 관련된 추억을 안주삼아 즐거운 대화를 시간 가는 줄 모르고 나눴다. 할머니가 젊었을 적에 화령에 있는 친정에 가실 적에는 차도 없던 때라 걸어서 산길로 이삼십 리 길을 다니셨다는 데 큰형님은 그 길을 따라갔던 기억이 난다고 하셨다. 셋째형은 초등학교 3학년까지 청동학교를 다니다가 4학년 때 서울로 전학을 와서 고향에 대한 추억과 아는 친구들 생각이 많이 난다고 했다. 나와 넷째형은 서울에서 나고 자라 고향에 살아 본적은 없어도 방학 때면 시골에 놀러 와서 냇가에서 고기도 잡고, 옥수수도 쪄먹고 밤에 모깃불 피우고 별을 보던 아름다운 추억도 아련히 떠올랐다.

특히 청리역은 우리가 어렸을 때는 고향에 오면 꼭 거쳐야 하는 관문 같은 곳이었는데 세월이 지나며 이용객이 줄어 이제는 직원도 없이 무인으로 대합실이 운영되고, 열차만 간간이 오가는 간이역으로 전락해 있었다. 몇 년 전에 <간이역>이라는 드라마의 배경이 되면서 손현주 배우가 출연하며 찍은 빛바랜 사진과 배우의 싸인 안내판만 외롭게 역을 지키고 있었다. 아 세월의 무상함이여! 한 때는 사람들로 북적이던 역이었건만 이제는 오가는 사람도 없는 간이역이 되고만 청리역을 보니 우리내 인생도 이와 같이 때가 지나면 외롭고 쓸쓸하게 말년을 맞이하는 것인가 생각이 들면서 쓸쓸한 기분을 감출 수 없었다.

서울로 돌아오는 길은 차가 막히지 않아서 비교적 이른 시간에 서울에 도착했다.큰 형님이 저녁을 먹고 가자고 제안하셔서 하남방면 냉면집에 가서 열무냉면을 먹었는데 함께 나오는 불향을 입힌 불고기가 맛이 좋았다. 출발했던 개롱역까지 형님들을 모셔 드리고 집으로 돌아오는 길은 어찌 그리 맘이 가볍고 기분이 상쾌하던지 부모님을 만나 인사드리고 좋은 소식도 전해드린 탓이리라 유쾌한 상주 성묫길이었다.

대학졸업 40주년 기념 모교방문

 어제(6/23)는 모처럼 모교(성균관대학)를 방문할 기회가 있었다. 학교를 졸업한 해가 1983년이니 벌써 40년이란 시간이 흐른 것을 알고 나도 깜짝 놀랐다. 혜화역에서 내려 걸어서 학교를 찾아가는데 가는 길은 익숙했지만 길거리의 풍경은 완전히 바뀌어 낯설기만 했다. 약간은 허름하면서도 친숙한 책방, 분식집, 다방, 주막 등 옛모습은 간데없고 한집 걸러 까페와 먹거리 등 먹자골목으로 변한 모습이 보는 이를 씁쓸하게 했다. 학교풍경도 다르지 않았다. 원래 우리 학교는 儒學의 전통을 계승한 600년 유구한 전통을 자랑하는 조선시대 이래 최고의 명문교육 기관으로 자리매김 하고 있었고, 그에 따라 학교 분위기도 약간 고풍스러우면서도 전통의 향기가 곳곳에서 묻어나는 것이 자랑이었건만 웬일인지 그 모습은 간데 없고 현대식 신축건물만 빽빽이 자리하여 이곳이 학교인지 오피스 타운인지 분간이 안 될 지경이었다. 그나마 남아 있는, 유생들이 공부하던 明倫堂, 공자 등 유교성현들의 위패를 모신 大成殿,유생들의 휴식처였던 玉流亭만이 옛 모습을 간직하고 있었다.

 우리 친구들은 학교 졸업 후 公職으로, 大學校 教授로, 公/私企業으로 진출하여 활약했으나 이제는 1차 직장에서 은퇴를 한 경우가 많고 아직 현역에 있더라도 곧 은퇴를 앞둔 시점이다. 모교에서 **後學**을 가르치고 있는 이 교수 방에 모여 귀한 차와 고급커피를 나눠 마시며 가벼운 담소를 나누며 친구들이 모이기를 기다렸다, 이 교수는 정년을 2년 앞둔 원로교수(?)라 예우차원으로 그런지 연구실의 전망이 한마디로 끝내주는 곳이었다. 멀리 앞으로는 남산타워가 보이고 발아래로는 비원의 울창한 숲이 신록을 뽐내고 있는 모습이 싱그럽기 그지없었다. 집에서 손주 둘을 잠깐 돌봐주고 있는데 이 녀석들이 워낙 개구쟁이라 목욕 하나 시키려 해도 보통 힘든 게 아니라며 푸념 겸 은근 자랑을 하는 데 한편 부러우면서도 저 출산시대에 아들이 애국자라고 친구들이 치켜세우니 싫지 않은 표정이다. 재철이는 아들이 모교 로스쿨을 다니는 데 학교를 무려 3곳이나 옮겨 다닌다며 자식자랑을 하니 모두가 나이든 탓이리라 이해하기로 했다.

조금 늦게 도착하는 친구들이 몇몇 있어서 저녁 6시경 식사는 대학로에 있는 **進雅春**이란 중식당에서 했다. 여러 가지 요리를 시켜서 가벼운 음주와 함께 화기애애한 이야기꽃을 피우며 식사를 했다 식후 대화의 주제는 주로 나이가 나이인지라 건강에 관한 것이 주를 이뤘다. 매일 10km를 걷는다는 재구 형은 젊었을 때부터 건강에 자신이 없어서 지금도 매일 걷기를 생활화하고 있노라며 버스 서너 정거장 정도는 가볍게 걸어 다닌다고 했다. 두

삼이는 공무원으로 퇴직한 이후 집에서 가까운 서울 숲으로 매일 출근하며 건강을 챙기고, 퇴직을 하고 보니 무엇보다 삼시 세끼 잘 챙겨먹고 소소한 일상을 잘 보내는 것이 중요하단 것을 깨우쳤다고 했다. 천안에서 법무사로 아직도 왕성한 활동을 하고 있는 일수는 풍채가 남다르게 좋고 얼굴색도 빛이 날 정도라 건강비결을 물어보니 매일 아침 아내가 챙겨주는 계란 2개와 두유 한컵, 그리고 빠지지 않고 한다는 국민체조(그것도 두 번씩)덕이라며 친구들에게도 강권했다. 산을 좋아하는 순혁이는 네팔 안나푸르나 트래킹 도중 고산병을 만나서 고생한 이야기를 하며 고산에 갈 때는 특히 조심하라고 당부했다. 동훈이는 대학교 3학년 때 종강 파티 할 때 겪은 프로판가스 폭발사고를 상기하며 그 때 여러 친구가 火傷을 입고 고생한 이야기며 주인아주머니가 식대의 10배를 치료비로 물어준 이야기로 모두가 놀라기도 했다 식사 후 나오는 길에 그날의 현장을 가보자며 현장답사(?)를 추진했지만 신축건물이 들어선 자리만 있을 뿐 자취는 사라지고 없어서 이쯤일 것이라 짐작만 하고 쓸쓸히 발길을 돌렸다.

가는 세월 그 누구가 잡을 수가 있나요♬ 라는 노래가사가 있지만 한 때 꽃다운 청년들의 머리에는 흰 이슬이 눈처럼 내려앉았고 눈가에는 하나 둘 잔주름이 잡혀도 푸른 청운의 꿈을 이루고자 분투했던 그 시절 청년들의 마음만은 아직도 청춘이었다. 어느 친구가 모임 후기에서 앞으로 우리가 얼마나 만날 수 있을까? 몇 번이나 만날까하고 아쉬움을 전했지만

가는 세월 잡을 수는 없어도 나이는 숫자에 불과하고, 나이야 가라 나이가 대수냐 ♪

라는 노래 가사를 되뇌이며 다음 모임은 경주로 수학여행을 가자고 만장일치로 의견을 모으고 즐거운 마음으로 후일을 기약하며 헤어졌다. 40년만의 유쾌한 모교방문이었다.

2. 책을 벗삼아

〈내가 사랑한 화가들〉

〈오드리 햅번이 하는 말〉

〈달과 6펜스〉

〈라면을 끓이며〉

〈태백산맥〉

〈일 따위를 삶의 보람으로 삼지마라〉

〈골목길 역사산책〉

내가 사랑한 화가들

정우철, 나무의 철학, 2021

  우리가 미술 전시회에 가서 처음 느끼는 감정은 무엇인가? 소위 명작이라고 하는 작품을 접할 때 우리는 쉽게 이해가 되는가? 남들은 어떻게 이해할까?나는 바로 이해가 안되는데... 이럴 때 도슨트가 그림의 창작 배경과 의도,그림의 재료와 구도 및 당시의 작가가 처한 환경 등을 친절하게 설명해줄 때 비로소 그림이 나의 머리와 가슴속으로 들어왔던 경험을 누구나 한 번 쯤은 해봤을 것이다. 고전음악도 그러하지만 특히 미술은 직관적으로 이해하고 감상하기가 쉽지 않은 예술분야인 것 같다.우연히 집에서 읽을 책을 고르다가 <내가 사랑한 화가들>이라는 제목을 보고 큰 기대 없이 읽어나가는 데 미술이, 그림이, 화가가 쉽게 이해되고 마음속에 잔잔한 기쁨을 맛보게 되는 망외의 소득을 얻을 수 있었다. 마르크 샤갈, 앙리 마티스, 아메데오 모딜리아니 등 중고등학교 미술시간에 이름은 한 번쯤 들어보았던 화가들 하지만 작품이나 화가의 삶에는 문외한이었던 나에게 이 책은 그림 입문서로서 훌륭한 역활을 해 주었다. 열 한명의 화가가 등장하는데 그 중에서도 폴 고갱편이 가장 마음에 와 닿았다.

주식 중개인으로서 안정된 삶을 영위하던 고갱은 그의 내면에 자리하고 있던 예술적 성공에 대한 갈망으로 30대 중반,늦은 나이에 화가의 길에 발을 들여놓는다. 주중에는 일하고 주말에 그림을 그리던 아마추어 작가였지만 진정한 예술적 성취를 바라고, 향상되지 않는 그림실력에 실망하여 미술학원을 전전하던 중, 인상파 대가인 피사로를 만나며 큰 격려를 받게 된다. 경기 침체로 프랑스 증권시장이 붕괴하는 사태가 발생하고 갑자기 실직을 한 고갱은 화가가 되기로 결심합니다.

그리고 주위의 비난과 경제적 궁핍함 속에서 자신만의 성취를 위하여 미술적 고민을 계속합니다. 인상파의 성공 이유를 생각해보니 비결이 '혁신'에 있음을 알아내고 아무도 그린 적이 없는 그림을 그려야겠다는 결심을 하게 됩니다. 답답한 도시를 떠나 원시문명 속에서 답을 찾고자 고심 끝에 브르타뉴 퐁타방으로 떠납니다.이 곳에서 그는 태양이 비추는 원색을 발견합니다. 고갱에게 영향을 준 화가로 폴 세잔을 꼽는데 후기 인상주의에 속하는 그는 '과거의 회화의 멱살을 잡고 미래로 끌고왔다' 할 정도로 회화의 새 지평을 연 예술가로 평가받는데 고갱은 그에게서 '본질을 보는 관점', '대상의 단순화'라는 면에서 큰 영향을 받게 됩니다. 그러면서 자신만의 색을 찾는 작업에 집중하게 됩니다.

<황색의 그리스도가 있는 자화상>1890

왼쪽에 본인 작품 '황색의 그리스도'가 있고 오른쪽에 기괴한 조각상이 배치되어있고 그 사이에 강렬한 눈길을 한 고갱이 관객을 바라보고 있습니다. 고갱은 이 그림을 통해 스스로를 '예술의 순교자'라 여기는 인식을 깔고 있었다고 합니다. 순교자와 야만인 사이에 있는 예술가로서의 본인을 표현한 거죠 자신의 예술세계를 이해하지 못하는 사람들의 비난을 무시하며 혁신적인 작품이라는 자신감의 표현이다. (p228)

<파도속의 여인> 1889

자신만의 붓 터치를 완성시킨 것. 인물을 단순하게 묘사했고 파도 속 여인은 나체 상태이며, 바다는 초록색, 모든 인위적인 것을 거부하고 원시문명에서 자신만의 예술을 찾겠다는 의지의 표현(p233)

<언제 결혼하나?>1892

그의 작품 중 최고가에 낙찰된 작품(3억$)(p236)

서머셋 모음은 고갱이 걸어온 발자취를 따라서 파리, 페루, 다시 파리, 브르타뉴 퐁타방, 타히티까지 찾아다니며 고갱의 지인들까지 만나며 소설을 집필하는 데 그 유명한 <달과 6펜스>이다. 달은 고갱이 따라가고자 했던 이상을 뜻하고 6펜스는 현실이라는 해석이 있습니다. 인생 전체로는 불행했던 시절이 훨씬 길지만 오늘날 위대한 예술가로 거론되는 고갱, 예술에의 갈망이 한 사람의 인

생을 얼마나 바꿔놓을 수 있는 지 절감합니다.(p244)

'인생은 짧고 예술은 길다'라는 격언이 있지만 예술가의 인생을 보면 인생은 괴로워도 예술은 아름답다고 말하는 편이 더 적절한 것 같습니다.

오드리 햅번이 전하는 말

김재용, 스토리닷, 2019

영화 <로마의 휴일>에 나온 앤 공주를 기억 하시는가? 바로 오드리 햅번의 첫 번째 영화이자 그녀를 단숨에 세기의 여배우로 우뚝 세워준 명작이라고 할 수 있다. 그녀는 이 작품으로 아카데미 여우주연상, 골든 글로브상, 영국 아카데미 어워드 등 세 가지 상을 모두 수상한 첫 여배우가 되었다. 한 마디로 첫 작품으로 신데렐라처럼 등장한 것이다. 오드리 햅번 하면 일반적으로 청순한 외모와 가냘픈 몸매 ,짙은 눈썹에 하얀 피부 같은 외모 중심의 이미지가 떠오른다. 또한 말년에는 아프리카의 불쌍한 아이들을 보살피는 봉사활동으로 인류애를 실천한 배우로도 기억되고 있다.

이 책을 통해서 알게 된 그녀의 삶은 꼭 아름다운 것만은 아니었다. 우선 그녀는 개인적으로 두 번의 이혼을 겪으며 마음의 상처를 많이 받았다. 사실 햅번은 행복한 주부가 되는 것이 꿈이었다고 하는데, 화려한 스타의 삶이 그녀가 추구한 건 아니란 뜻이다. 집에서 가족과 보내는 일상을 소중히 여기고, 집이 유쾌한 휴식처가 되어야 한다는 생각에 늘 음악을 틀어놓고, 정원에서 따온 꽃을 꽂고, 직접 기른 채소로 식사를 챙겼다고 한다. 그래서 취미도 책을 읽고, 음악을 들으며, 반려견과 산책을 하는 것을 좋아했다. 배우의 화려한 삶보다는 자기의 마음이 이끄는 대로 가족을 사랑하며 자신의 취향에 따라 내면적인 즐거움을 추구하며 살았던 것 같다.

그녀가 평생 출연한 영화가 27편이라는 게 그 당시 미국의 스타급 배우가 100편 이상 多作을 한데 비하면 1/4에 불과한 寡作이지만 그 작품만으로도 그녀는 영화사에 잊혀질 수 없는 없는 명작을 남겼다.

'인생을 돌이켜 볼 때 출연했던 영화는 생각이 나지만 정작 나의 아이들에 관한 기억이 없다면 얼마나 끔찍하겠는가'

라며 둘째 아이를 낳고 한창 명성이 높아지던 때 그녀는 과감히 할리우드를 떠나 집으로 돌아감으로써 8년 동안 영화에 출연하지 않고 두 아들과 행복한 나날을 보냈다고 한다 .가족의 가치를 무엇보다 인생의 최고의 가치로 생각하는 그녀의 성격이 가장 잘 드러난 일이다. 일은 나를 버릴 수 있지만 가족은 나를 버리지 않는다. 나에게는 가족이 있다는 말에서 다시 한 번 그녀에게 가족이 차지하는 비중을 짐작하게 된다.

최근에 우리 집에도 가족의 소중함을 느낄 계기가 있었. 큰 딸이 외국으로 공부하러 떠나고 나니 집안의 식구가 세 식구로 줄어들어 어딘지 모르게 집안이 텅 빈 것 같고 가족이 다 같이 모여 북적거리던 때가 그리워진다. 가족의 소중함은 공기와 같아서 평소에는 잘못 느끼다가 갑자기 소중함을 절실하게 깨닫는 순간이 오는 것 같다.

이 책을 읽으며 다시금 가족의 소중함과, 내면의 소리에 귀 기울이며 사는 삶, 주변 사람들을 보살피며 사는 삶이 귀중함을 깨우친다.

달과 6펜스

서머싯 몸, 송무 옮김, 민음사, 2010

작가 소개: 써머싯 몸은 1874년 프랑스 파리에서 태어 났고 하이델베르그 대학과 영국 킹스칼리지 의과대학을 졸업했다, 주요 작품으로 <달과 6펜스>,<인간의 굴레> 외 많은 장·단편 소설을 남겼다.

안정적인 중산층 은행원 스트릭랜드는 어느날 아내를 버리고 프랑스 파리로 훌쩍 떠난다. 이유는 그림을 그리 고 싶다는 강렬한 욕망에 휩싸인 까닭이다. 금전적 여유 가 없어서 파리에서 하층민의 삶을 전전하다가 생활고에 몸져 눕게 된다. 평소 그를 천재라 여기고 가까이하던 네 덜란드인의 도움으로 건강을 회복한 그는 네덜란드인 아 내 볼란치와 잠시 동거를 하기도 하지만 끝내 그녀를 버 리고 만다.이후 스트릭랜드는 타이티로 떠나 원주민 여 자를 만나 결혼을 하고 아이를 낳게 된다. 그러나 갑작스 레 나병에 걸리게 되고 죽어가는 동안 자신의 오두막집 과 천장에 영혼을 쏟아부어 최후의 걸작을 그린다. 그러 나 마지막 유언으로 그림을 불태워 달라고 부탁하고 그 는 나무 밑에 묻히는 것으로 소설은 끝난다.

제목에서 달은 미술가가 갖는 이상을 나타내고 6펜스 는 현실세계를 상징한다고 한다. 작가가 의도한 바는 사회적인 성공과 안정을 추구하던 주인공이 어느 날 갑자기 그림을 그리려는 열망에 휩싸이며 자신이 가진 모든 것을 버리고 예술에 몰입하게 된다는 점을 모티브로 하여 마치 폴 고갱의 삶을 연상시키고 유사한 점도 많지만 결국 예술에의 동경과 현실세계에 대한 비판을 두 축으로 소설을 전개해 나간다.

직장생활로 생계를 유지하던 시기를 보내고 은퇴 이후 다른 삶을 추구해보고자 음악, 낭독, 여행을 삶의 주요한 방향으로 추구하는 내게 스트릭랜드의 삶은 감히 도전해 볼 수는 없지만 동경해 마지않는 이상이라고 할 수 있다. 달의 세계에 발을 들여놓지는 못해도 달빛 그늘에 서성이는 나의 모습이 보이는 듯 하기도 하다. 인간은 누구나 현실세계의 구속과 속박에서 벗어날 수 없는 존재이지만 한 편으로는 영원한 존재인 예술에의 갈망이 어느 정도는 다 있는 것 같다. 그런 면에서 예술적 삶을 살아가고자 하는 현대인이라면 한 번쯤 읽어 볼만한 가치가 있는 책이라고 생각된다.

라면을 끓이며

김훈, 문학동네, 2015

서점에 가서 책을 고를 때 제목이 우선 시선을 끄는 책이 선택받을 가능성이 크다. 책 내용을 보기 전에 우선 제목이 호기심을 자극하는 책이 서가에서 선택받을 여지가 크다는 말이다. 제목으로 고르고, 목차를 보고 내용을 파악하고, 몇 페이지 읽어보며 책을 탐색한다.

<라면을 끓이며>란 제목에 작가가 김훈이라면 자연스럽게 손이 안 갈 수가 없다. <칼의 노래>, <현의 노래>, <남한산성> 등 익히 그의 작품을 통해 작가의 筆力을 인정해왔던 터라 망설임 없이 집의 서가에서 책을 꺼내 읽기 시작했다.

제목과는 달리 책은 여러 주제에 관하여 작가가 그간 써온 글들을 주제별로 묶어서 내놓은 산문집이다. 평소 작가의 섬세한 관찰과, 예민한 문장구사에 매력을 느꼈던 대로 이 책 역시 기대를 저버리지 않고 나를 만족시켜 주었다.

(밥, 돈, 몸, 길, 글) 우리가 일상을 살아가는 데 하루도 없이는 살 수 없는 존재들이 단 한 글자로 이름 지어진 것들만 모아서 의미와 작가의 인식을 결합시켜서 독자들에

게 묻고 답하고 있다.때로는 거칠게 때로는 겸손하게 대상을 주무르는 솜씨는 가히 김훈답다고나 할까?

코로나로 인하여 세상이 살기 힘들고, 테스형(?)에게 물어봐도 답은 없지만 이 힘든 세상 책을 읽는 순간만이라도 책이 주는 재미와 저자의 관찰에 기반한 새로운 일상의 발견에 공감하며 즐겁게 읽을 수 있었다.힘들 때는 쉬운 책으로 위로받고 싶다면 한 번 쯤 읽어도 괜찮을 만한 책이다.

태백산맥

조정래, 해냄, 1986

이 소설은 나의 직장생활 시작하던 해(1986년)에 탄생한 오래된 소설이다. 그만큼 오래된 소설이지만 여전히 독자들에게 꾸준히 사랑받는 소설인 것 같다. 그간 기회가 없고 여유가 없어서 읽어보지 못하다가 이번에 작정하고 완독을 해냈다.한편 뿌듯하고 한편 유익한 시간이었다는 생각이 든다.

이 소설의 배경은 전라남도 벌교와 여수 보성일대로 해방 이후 6.25 전쟁 때 까지를 지리적/시간적 배경으로 하고 있다. 우리가 학교에서 역사를 배울 때 이 시기는 그다지 중요하게 다루어지지 않는 시대이다. 하지만 역사적으로나 정치적으로 대단히 중요한 시기였음을 이번에 알게되었다.

해방 이후 한반도가 미국/소련 제국주의자들에 의하여 분단되고 이념적으로는 민주주의와 공산주의로 분열되고 통일된 조국을 만들지 못하고 한 민족이 서로 전쟁을 하고 적대시 하면서 70년을 살아오게 된 민족의 비극이 탄생 하게 된 배경과 그 안에서 민초들이 겪어야 했던 가슴 아픈 역사가 오롯이 담겨진 소설이라고 할 수 있다.

소위 빨치산이라 불리는 자생적 공산주의자가 왜 탄생하게 되었고, 민초들은 왜 공산주의 이념에 쉽게 동화되어 갔는지 이번에 소설을 읽으면서 알게 되었다. 수 천 년 이어진 가난과 굶주림에 고통 받고 위정자들의 핍박을 받으며 살아오던 민초에게 해방은 새로운 세상을 꿈꾸게 하는 역사적 사건이었다. 하지만 외세의 힘에 의한 해방을 맞이하면서 우리민족의 단일민족 단일국가의 꿈이 산산이 부서지고 원치 않는 분단국이 되고 말았다.

농지 없는 소작농으로 평생을 가난과 굶주림을 벗어나지 못하던 대다수 농민들에게는 토지는 생명과도 맞먹는 소중한 것이었다. 작가는 우리 민족이 꼭 해결했어야 하는 과제를 두 가지로 제시한 것이 친일파 척결과 토지개혁 이었다.북쪽에서는 이 과제를 과감히 해결하였으나 남쪽에서는 미군정을 겪으면서 친일경력의 인사들을 재기용하면서 친일척결에 실패했고 토지개혁도 유상몰수 유상분배로 실패하고 말았다.(※북은 무상몰수 무상분배)

소수 지주가 농산물 소출을 독점하고(50%) 소작농은 일년을 뼈 빠지게 일해도 가족들 입에 풀칠하기 어려운 구조(50%를 받지만 각종 세금과 농자재를 제하고 나면 실질적으로 20~30% 분배)로 땅의 소유권을 갖지 못하는 한 구조적으로 농민은 가난을 벗어날 수 없는 형편이었다.

그런 상황에서 계급적으로 평등하고 공동생산으로 공동분배 하자는 공산주의 이념은 더 할 나위없는 좋은 생각이 아닐 수 없었다.그리하여 가난과 핍박에 찌들은 소작농 출신들이 자발적으로 산으로 들어가 공산주의 이념을 학습하고 새 세상을 만들어 인간답게 살아보겠다고 배고픔과 추위와 열악한 환경속 에서도 죽음을 불사하며 해방투쟁을 전개했던 것이다 그중에는 한 가족내에서도 반공/친공으로 이념이 갈리어 대립하는 가운데 갈등과 대립으로 심지어 가정이 파괴되는 모습도 쉽게 볼 수 있었다.

비록 그들의 이상과 꿈은 현실의 벽에 부딪혀 좌절되고 말았지만 이념이나 정치적 입장을 떠나서 모두가 고루 잘살고 행복한 나라를 만들어 보자는 이상만큼은 지금 이 시대에서도 여전히 가치가 있는 것이고 누구나 바라는 바 일 것이다.

작가는 이 소설로 인하여 정치적 탄압도 받고 고초를 겪었지만 그가 문제 제기한 우리 민족의 해방이후 근현대사에 나타난 문제(민족통일/빈부격차해소/친일파척결)는 현재에도 여전히 진행형으로 우리에게 해결을 요구하고 있다.

일 따위를 삶의 보람으로 삼지 마라

이즈미야 간지, 김윤경 옮김, 북라이프, 2017

바야흐로 100세 시대라 일컫는 고령화 사회에 접어들었다. 베이비 붐 세대의 은퇴가 본격화되면서 청년같은 은퇴자들이 사회로 대량 방출되고 있다. 나 또한 2018년 퇴직을 하고 일 년의 시간을 보내면서 남은 여생을 일을 하며 보내야 할지 일 대신 다른 보람있는 소일거리를 찾아야 할 지 고민과 방황 속에 시간을 보냈다.

이 책은 제목이 마음에 들어서 책을 잡자마자 단숨에 읽어버렸다. 책의 서문에서 언급되듯이 이 책은 실존적인 물음과 마주칠 때 반드시 나타나는 다양한 주제에 관해서 앞선 지식인들의 사상을 정면으로 다루고 있다. 현대인이라면 안고 있는 공허함의 정체와 고뇌에서 벗어나기 위한 실마리도 떠오를 것이다. 또한 앞으로 무엇을 보람으로 삼고 살아갈 수 있을까 하는 주제에 관해서도 언급하고 있다.

[살아갈 의미를 잃어버린 현대인]/[노동의 배신]/[무엇을 위해 일해야 할까?]/[진정한 나는 어디에 있을까?]/[우리는 어디로 향해야 할까?]/[나다운 일상을 되찾기 위해]

각 장의 제목에 나타나듯이 현대인이 직면하고 있는 문제를 나쓰메 소세키, 니체, 버트란드 러셀, 빅터 프랭클 등의 견해를 빌려 직업과 삶에 대한 통찰을 명확하게 드러내 보여준다.

분석심리학의 기초를 세운 칼 융은 정신적 위기가 찾아오기 쉬운 세 번의 시기로 청년기, 중년기, 노년기를 꼽았다. 청년의 위기는 사회적인 존재가 되고자 하는 출발점에서의 다양한 고뇌, 즉 직업선택이나 가정을 이루는 일 등 사회적 자기실현을 둘러싼 고민을 가리킨다. 중년의 위기는 어느 정도 사회적 존재로서 역할을 다하고 인생의 후반으로 옮겨가는 지점에서 분출되는 고요하고 깊은 물음이다.

다시 말해 '나는 과연 나답게 살아온 걸까' '지금까지 살아온 것처럼 미래를 살아가는 건 뭔가 잘못 된 게 아닐까' '살아가는 데 주어진 천명은 무엇인가' 하는 사회적 존재를 초월해 인간 존재로서의 실존적 물음을 향한 고뇌다.

이러한 세대간 고민은 우리 가정에서도 똑같이 직면하고 있는 과제이다. 나는 중년의 고민, 우리 아이들은 청년의 고민, 하지만 현대의 젊은 세대는 청년기의 위기를 건너뛰고 바로 중년의 위기와 다름없는 고민과 마주한다고 한다.

"내가 무엇을 하고 싶은지 모르겠다"

"가능하면 귀찮은 일을 하고 싶지 않지만 해야 한다면 뭘 해야 좋을까"

"왜 일해야만 하나"

이미 직업을 구해서 일하고 있으면서도 미래의 진로에 대해 고민하고 현재 하고 있는 일에 대한 회의와 미래에 대한 불안으로 전전긍긍하는 모습을 보면 때론 안타까운 마음이 들기도 한다. 진로 선택의 기로에서, 인생 후반전의 새로운 삶의 좌표 설정에 고민하는 청년이나 중년의 세대라면 한 번 쯤 읽어보고 나아갈 길을 찾는 데 도움이 되는 책이라고 일독을 권하고 싶다.

골목길 역사산책

최석호, 시루, 2018

 서울에서 나고 60여년을 서울에서만 살아왔지만 서울을 너무 모른다는 자각이 갑자기 서울의 역사와 골목길에 얽힌 역사를 알고 싶어졌다.책 제목에 끌려 불현듯 책을 구입하고 읽기 시작했다. 내가 나고 자란 곳은 충정로, 만리동, 아현동 일대이고 결혼 이후 살던 곳은 면목동, 하계동, 지금은 성내동이다. 그러고 보니 사대문 안에서는 살아본 적이 없는 서울 변두리 인생 인듯 싶다.

 이 책은 주로 사대문 안 네개 길을 중심으로 서술되어 있다. 아무래도 역사란 왕과 그를 보필하는 지배층 중심으로 흘러갈 수밖에 없으니 왕궁을 중심으로 사대부가 주로 기거하던 북촌, 중인들이 주거하던 서촌, 그리고 개화기 역사의 현장이라 할 정동 길, 개화기 일본인들이 많이 기거했다는 동촌 길을 중심으로 이야기는 전개된다.

 주요 역사적 인물과 그들의 흔적이 남아있는 역사적 현장이 파노라마 처럼 펼쳐지고 관련된 역사도 저자의 해박한 설명으로 바로 오늘인듯 생생하게 이어지며 이야기를 살아 있는 역사로 부활시켜 준다. 무심히 지나치면서도 알지 못했던 서울 구석구석에 박힌 역사가 팝콘 튀듯이 툭툭 튀어나오는 것 같아 신기하면서도 재미있었다.

아는 만큼 보이고 보이는 만큼 느낄 수 있듯이 이제는 제법 서울의 골목길과 거기 얽힌 역사와 인물들을 이해하게 되니 오랜 세월 살아온 서울이지만 새삼스럽게 사랑스러워지고 더욱더 애착이 생기는 듯싶다. 갑자기 서울의 찬가가 한 구절이 생각난다.

아름다운 서울 에서 서울 에서 살으렵니다♬ 역사가 살아 숨쉬는 도시 서울에서 살으렵니다~

· 부암동 무릉도원길 : 남쪽 왜 오랑캐, 북쪽 청 오랑캐에게 네 번이나 짓밟혔다. 조선 선비들은 혼란을 겪으면서도 낙원을 꿈꾸었고, 부암동에서 바로 그 무릉도원을 발견했다. '그저 땀 흘린 만큼 거둘 수 있으면 낙원'이라는 생각이 IMF와 금융위기를 겪으며 지난하게 살아온 우리에게 간절함을 느끼게 한다.

· 정동 역사길 : 서울 한가운데에 자리한 정동은 조선 건국부터 개항, 임시정부 환국, 한국전쟁까지 대한민국 심장부의 아픔이 얼얼하게 남아 있는 곳이다. 사대문 안 정중앙에 세워진 서울주교좌성당에서 출발하여 그 역사길을 걸어본다.

· 북촌 개화길 : 조선을 세운 주인공들은 한양에 도읍을

정했다. 어느덧 200년이라는 세월이 흘러 중쇠기에 접어들자, 조선 선비들은 크게 깨우치고 조선을 다시 세우려 했다. 부강한 나라를 만들겠다는 개화에 대한 열망을 가진 사람들이 북촌으로 모여들었다. 그 열망이 한옥으로 조선의 모습을 간직한 골목길에 서려 있다.

· 서촌 조선중화길 : 나라의 위기에도 최고의 문화를 꽃피웠다. 조선중화에 바탕을 둔 진경시대가 펼쳐지며 삼천리 방방곡곡 두루 걸어서 우리 풍속을 시로 읊고, 금수강산을 그림으로 그렸다. 서촌에서 시를 읊고, 진경산수화를 그리던 당시의 선비와 화가를 보는 듯하다.

· 동촌 문화보국길 : 일본 제국주의자들이 총칼을 앞세우고 한양으로 들어왔다. 선각자들은 빼앗긴 나라의 수도, 한양을 등지고 힘든 세월을 견뎌냈다. 우리 집을 짓고 우리 문화재를 보호하며 훗날을 기약했다. 그 자취가 남아 있는 동대문 디자인 플라자에서 수연산방까지, 목숨 바쳐 되찾은 동촌을 걷는다.

3. 취미 찾기와 자기개발

조기축구 10년 유감

조기축구를 시작한 지 10년이 넘었다 정확하게는 2010년 봄에 시작했으니 13년째 접어든다 .나이 50줄에 축구를 하겠다고 조기축구회를 찾아간 연유를 말하자면 슬픈 사연이 있다. 2010년 초에 나는 현대자동차 개포남부 지점장으로 발령받아 처음으로 서울지역 지점장으로 근무를 시작했다. 첫 지점장은 경기도에서 시작했던 터라 일말의 기대감이 없지 않았다.

서울지역에 그것도 강남에 위치한 지점이라니 강남이란 지역이 주는 기대감에 나름 큰 기대를 안고 지점에 부임해보니 근무환경이 열악하기 짝이 없었다. 노후된 건물이야 그렇다 해도 비좁은 전시장이며 찬물만 나오는 화장실은 또 뭔가? 가정집도 온수가 콸콸 나오는 시대에 건물에 온수가 안 나온다니 기가 막힐 노릇이었다 . 전시차 두 대가 들어서면 꽉 차는 전시장은 고객이 방문하여 여기가 대리점이에요? 직영이에요? 라고 물어 볼 정도로 시설도 형편 없었다. 환경은 열악했지만 직원들이 우수하여 전국 우수지점으로 평가받던 전곡지점과 비교해 볼 때 상대가 되지 않는 지점이었다. 서울 시내에 이런 지점도 있는가 싶을 정도로 환경이 열악했다.

환경이 열악하면 판매실적이라도 우수하다면 위안을

삼아 근무하련만 실적은 지역본부에서 바닥을 기는 실적 부진 지점평가를 받고 있었다. 직원의 과반수가 012부대(월판매 2대 이하 직원을 일컫는 판매 은어)로 매너리즘에 빠진 직원들은 근무의욕이 없고 판매부진을 열악한 환경 탓으로 돌리며 향상시키려는 노력을 하는 모습이 보이지 않았다.

어떻게 지점을 끌고갈지 앞이 캄캄해서 길이 보이지 않았다. 우선 부진자들을 회복시킬 실적이 절실했다. 더구나 그 당시는 부진자 관리가 가장 중점적인 관리지표 중의 하나인지라 지점 관리자로서는 골치가 아픈 지점이라고 소문이 났었다.

우선 부진자를 향상시키는 것이 급선무인데 방법은 지점장 정보제공으로 실적을 만들어주는 것이 가장 빠른 길이라고 생각했다. 그러나 본사근무를 오래했던 나는 개인적 인맥이 좁아서 인폼(지점장실적)이 약했다. 빠른 시일 내 인맥을 확대하려면 어떤 방법이 있을지 고민했다. 결과 동호회활동을 해서 인맥을 확대하기로 결심했다. 그러자면 인원이 많은 동호회가 절대 유리했다.운동을 할 수 있는 동호회를 찾았다 축구가 좋을 것 같았다. 인터넷으로 하계동 조기회를 검색하니 하계축구회가 있었다.

내가 살던 하계동에서 대진고등학교를 홈구장으로 활

동하던 하계축구회를 알게 되었다. 당장 조기회에 가입하고 대진고등학교 운동장으로 찾아갔다. 하계축구회는 대진고등학교와 경기 기계공고를 홈구장으로 활동하는 30년 이상의 역사를 자랑하는 하계동의 터줏대감 같은 존재였다.

처음 운동을 하러 갈 때만 해도 내 나이가 50이 되어서 나는 아마도 내가 조기회에 가면 연장자 축에 들 것으로 생각했다. 그러나 그건 나의 착각이었고 나보다 열 살 이상 많은 회원도 많았다. 그 중에서도 영복이 형님은 처음 본 나를 밝은 미소로 맞아 주시며 이것저것 운동에 대하여 조언도 해주시고 빨리 환경에 적응할 수 있도록 도움을 많이 주셨다. 본인도 안양에서 하계동까지 멀리 원정을 오는 형편임에도 착한 심성과 형님 리더십으로 팀내에서 신망이 높았다.

나에게 축구란 초등학교 때 까지는 해지는 줄 모르고 운동장을 뛰어다니며 운동화가 헤질 정도로 몰입하던 즐거운 놀이였다. 그러나 중고등학교로 올라가면서 입시공부한다고 축구를 가까이 할 기회가 없었다 그 이후 직장생활 하면서는 더구나 축구를 할 기회가 없었다.축구는 단체경기라 인원이 많이 필요하고 혼자서는 하고 싶어도 할 수 없고 절실한 필요성도 느끼지 못하던 터였다. 그러나 내가 필요에 의해 다시 시작한 축구는 참으로 매력이 많은 운동이었다.

일단 운동장에 나가면 푸른 잔디(인조든 천연이든)가 눈을 시원하게 해 준다.잘 모르는 사람들은 축구가 과격한 운동이고 부상의 위험이 큰 운동으로 알고 있다. 그러나 내가 10여년 경험해본 축구는 스스로 조심하기만 하면 절대 위험한 운동은 아니다. 다만 승부욕이 지나쳐서 경기에 과도하게 몰입하면 다칠 수도 있지만 그것은 아주 예외적인 상황이다. 대회에 나간다 거나 다른 팀과 경기를 할 때 과열되는 경우가 있기도 하지만 자체경기인 경우 드문 일이다.

처음 조기회에 가입하고 전 회원을 대상으로 자기 소개하는 시간이 있었다. 저는 현대자동차에 다니고 있고, 하계동에 거주하는 손준호라고 합니다. 나이는 50이고 축구를 통해 건강관리를 하면서 회원들간 친목을 도모하고 싶어 조기회에 가입했으니 많은 지도 바란다고 의례적인 인사를 했다.그리고 나서 고참들에게 개별적으로 인사를 하는 데 한 회원이 나를 보더니 현대자동차에 다니느냐고 다시 물어보더니 영업을 하느냐고 묻기에 영업은 하지 않는다고 했더니 대뜸 차를 팔 생각일랑 말고 운동이나 열심히 하라고 비아냥 섞인 충고를 했다.

나는 한 편으로 기분이 상했지만 내색하지 않고 웃으며 차는 아무나 팔 수 있는 게 아니고 운동으로 건강관리나 하겠다고 했지만 내심 기분이 나쁜 건 사실 이었다. 속으로는 능구렁이 같은 영감이 나의 속내를 정확히 읽고 있구만 하지만 두고 봐라 내가 반드시 여기서 차를 팔고야 말리라 다짐하며 쓴 웃음을 짓고 말았다. 그 이후로는 매주 일요일이면 조기축구회에 나가 운동하고 땀 흘리고 운동 끝나면 회원들끼리 모여서 회식을 하며 소주도 한 잔씩 하면서 서서히 안면을 넓혀 나갔다.

조기축구 활동을 하며 재미난 일도 많았고 에피소드도 많았다. 내가 조기회에 가입한 후 2~3년뒤 영복이형 또래의 회원들이 환갑을 맞이하게 되었다. 요즘이라면 환갑잔치를 하는 것이 어색하겠지만 그 때 만해도 조기회에서 환갑을 맞이한다는 것은 드문 일이고 축하해주어야 마땅한 일이었다. '만년 청춘 김 00,형님 축하합니다' 플랭카드도 걸고 축하 케익도 준비하고 운동장에서 전회원이 절을 하며 회갑을 진심으로 축하해주었다.

날이 더워서 케익의 장식이 무너져서 모두가 아쉬워했던 기억이 난다. 또한 신년초가 되면 시무식을 하는데 이 때는 온 동네 유지가 총출동하여 운동장 한가운데 돼지머리를 놓고 건강한 한해를 기원하는 고사도 지내고 떡과 음식을 준비하여 회원은 물론 초대한 손님들에게 푸짐한 음식을 대접하며 화합을 다지기도 한다.

축구한 지 십년이 넘었지만 아직도 나의 축구실력은 그다지 큰 발전이 없다. 하지만 요즘도 TV로 K리그 경기도 보고 영국의 프리미어 리그 경기도 보면서 축구 공부를 하는 것이 낙이다. 비록 실력은 부족해도 보는 것도 공부라고 나는 오늘도 10년째 공부를 계속하고 있다. 언젠가 나도 손흥민 선수처럼 멋지게 드리블하며 골을 넣는 나의 모습을 상상해 보며, 나는 일요일만 되면 가방을 메고 어두컴컴한 길을 헤치고 운동장을 향해 집을 나선다.

올림픽공원에서 하루를 열다

서울특별시 송파구 올림픽 로 424

내가 자주 가는 올림픽공원 주소다. 1988년 서울올림픽 개최가 결정되고 올림픽 유치와 성공을 기원하고자 1986년 4월에 완공되었다고 한다.1823 억의 공사비를 투입하여 43만 8천평 면적(여의도 면적의 절반 크기)에 대한민국 도심공원으로 가장 큰 공원이었다고 인터넷에 나와 있다.

주요 시설로는 정문 역할을 하는 평화의 문이 있다. 공원의 대표 상징물로써 평화의 상징 비둘기가 날개를 편 모습을 본떠,한국의 대표적 건축가 金重業이 설계한 웅장한 조형물이다. 올림픽 엠블럼이 앞에 있고, 날개의 천장에는 四神圖가 그려져 있다. 인근에는 60여개의 기둥 위에 전통탈 형식을 현대적으로 재해석한 조각상을 만들어 놓았다.

국기광장은 88 서울올림픽에 참가한 160개국의 국기가 게양된 공간이다. 평화의 문도 이 광장 중간에 있는 것으로 바닥에는 화강암 블록으로 고구려 고분의 수렵도가 그려져 있다.

몽촌토성은 공원 조성공사 도중 백제시대 초기의 토성으로 발굴되면서 한 때 공사가 중단되어 늦춰졌다가 토성을 보존하는 차원에서 토성과 공원을 한 자리에 존치하기로 결정되어 1986년 공식 개장되었다고 한다.

그 외에도 올림픽 당시 이용된 각종 체육시설 (체조, 핸드볼, 수영, 테니스장 등)이 있고 88 잔디마당은 각종 공연 및 문화행사가 열리는 야외공연장으로 활용하고 있으며, 소마 미술관 및 세계 각국의 조각가들이 보내온 조각품이 이곳을 세계 5대 조각공원으로 명성을 나게 하였다고 한다(올림픽공원 소개자료 인용)

3년 전 퇴직하기 전에는 올림픽공원에 가끔 산책을 하기는 했어도 공원의 가치를 크게 깨닫지 못했었다. 그러나 퇴직 후 아침 출근의 일상이 사라진 후 아침에 눈을 뜨면 가고 싶은 곳이 올림픽공원이 되었다. 아침 7시경 공원에 가면 <서울의 찬가>를 틀어 놓고 백여 명 가까운 사람들이 원형으로 둘러서서 강사의 구호에 맞추어 생활체조를 하는 무리들이 있다. 신나는 노래와 구호에 맞춰 온 몸을 흔들어주며 서로서로 손뼉을 치며 잠에서 깬 몸을 활기차게 움직이는 모습은 보기만 해도 신나고 나도 모르게 노래를 따라 부르게 만든다.

나의 아침산책은 운동기구가 설치된 공터에서 시작된다. 우선 가벼운 스트레칭으로 근육과 관절을 빠짐없이 풀어준다. 허리 돌리기로 몸통을 자극하고 풀다운 기구로 어깨근육을 단련하고, 윗몸 일으키기로 복근 및 호흡 훈련을 한다. 특히 복근운동이 중요한 이유는 노래를 부르다 보니 복식호흡으로 뱃심을 길러야 힘 있게 노래를 할 수 있고 고음도 호흡의 힘에서 나온다는 것을 경험으로 터득했기 때문이다.

당신은 나의 영원한 사랑 ♫ 사랑해요 ♪

가수 임영웅의 <별빛 같은 나의 사랑아>의 최고음 부를 넘어갈 힘도 복근의 힘 탓으로 알고 있다. 그 전에는 고음 내려면 목을 쪼여서 내던 버릇 때문에 목이 아프고 소리가 닫히는 경우가 많았는데 이젠 그런 고민이 없어졌다.

몸을 풀고 나면 이어폰을 꽂고 엄정행의 한국가곡 메들리나 시월의 어느 멋진 날 같은 나의 레파토리를 들으며 88잔디마당 주위를 산책한다. 이곳은 워낙 넓고 마주치는 사람도 드물어서 맘껏 소리를 질러도 민폐를 끼칠 걱정이 없다. 나만의 노래 연습장이랄까? 아무튼 나의 노래는 88마당에 조용히 울려 퍼진다.

산책을 하다 보면 다양한 공원족들을 만나게 된다. 우선 조깅족, 인근 한체대 선수들이 단체로 아침 훈련차 오거나 사이클 동호회에서 단체 라이딩을 하기도 한다 .잔디밭에서는 웨딩사진 촬영을 하는 신혼부부들을 자주 볼 수 있다. 하얀 웨딩드레스를 입은 신부와 검정 턱시도의 신랑이 멋진 포즈로 사진 찍는 모습을 보고 있노라면 참 좋은 때다 싶어서 입가에 미소가 떠오른다.

나무 밑 벤치에서는 어르신들이 삼삼오오 모여 앉아 담소를 나누고 계신다. 대화의 주제는 주로 정치담론으로 이슈가 되는 정치인들 비난이나 옹호로 찬반이 갈리지만 서로가 양보 없는 설전을 펼치는 모습에 조마조마할 때도 있다.

그러나 공원의 가장 큰 매력은 역시 숲과 나무, 새들이 어우러진 자연의 풍광일 것이다. 나무 아래 벤치에 앉아서 조용히 음악을 들을 때는 나는 순간이나마 세속을 떠나 수행하는 수도승처럼 마음이 차분해지며 마음의 평화를 경험하게 된다. 지저귀는 새소리와 바람소리, 소나무에서 풍겨 나오는 솔향과 풀냄새까지 모든 것이 나의 오감을 자극하며 자연속 안식의 세계로 빠져든다.

산책을 마치고 돌아오는 길은 몸과 마음이 상쾌하고, 하루를 활기차게 살아갈 에너지를 백퍼센트 충전한 배터리처럼 온몸에 팽팽한 자신감이 넘쳐난다. 집 근처에 이런 훌륭한 공원이 있고 그곳에서 나의 심신을 단련하고 자연을 음미할 수 있음은 내가 발견한 일상의 행복이 아닐 수 없다. 나는 오늘도 올림픽공원에서 충만한 하루를 시작한다.

2021년이 가고 2022년 壬寅年 새해가 밝았다. 해가 바뀌고 새해가 오면 누구나 시간이 빨리 간다고 탄식하면서 한편으로는 새해에 이루고 싶은 소망과 계획을 세워 본다.

자서전을 쓰다

年末에 가족끼리 모여 앉아 한 해를 돌아보고 새해를 맞이하는 각오를 들어보는 가족 송년회를 열었다. 우선 나부터 반성과 계획을 발표했다. 우선 年初에 어머님이 갑자기 別世하셔서 충격을 받고 방황한 이야기부터 마음의 동요를 극복해낸 이야기를 풀어냈다. 부모님과의 이별은 누구나 일생에 한 번 겪는 피할 수 없는 슬픈 일이지만 예기치 못한 코로나 감염으로 갑자기 돌아가셔서 가족 모두가 어찌할 바를 모르고 허둥대다가 년 초를 정신없이 보냈다.

곰곰이 생각해보니 부모님의 時代가 종말을 고하고 언제 인지는 알 수 없지만 나에게 주어진 시간도 그리 많지는 않다는 자각이 불현듯 들었다. 사람이 세상에 태어나서 언젠가는 죽는다는 사실은 피할 수 없는 운명인데 세상에 왔다 간 흔적이라도 남겨야 하지 않을까 하는 생각이 뇌리를 스쳤다. 마음속으로 언젠가 자서전을 한 번 써봐야지 하던 막연한 생각이 절실하게 다가온 순간이었다.

관련된 책을 찾아서 읽어 보았다. 다치바나 다카시 <자신의 역사를 쓴다는 것>, 사이토 다카시의 <2천자를 쓰는 힘> 등 자서전 쓰기 관련 책들이 의외로 많았다. 자기 자신의 年代 表를 만들고 인생의 단계별 에피소드와 주제를 추출하고 주제별 키워드를 찾아내니 글을 쓸 기본 설계도가 어렴풋이 그려졌다.

시작하기 전에 걱정했던 것은 과연 짧게는 30년 길게는 60여 년 전 일들이 생생하게 생각이 날 지 아스라한 기억의 저편 사건들이 어제 일처럼 떠오를 지 우려가 되었다. 그러나 신기하게도 몰입하여 기억을 되살리고 글을 써 나가기 시작하자 마치 엊그제 일처럼 생생하게 장면과 대사가 기억나는 것이었다. 좀 더 집중력을 유지하고 빨리 쓰고 싶은 욕심에 동네 도서관을 이용했다. 하루 한 편씩 주제에 따라 써 내려갔다.

내가 자서전을 쓰려고 생각했던 에피소드를 정리해보니 17편이 추출되었다. 워드로 한 편당 3~5쪽을 폰트 10의 글씨 크기로 써 내려가자 대략 50쪽 분량이 만들어 졌다. 글을 다 쓰고 나서 관련된 사진을 빛바랜 가족 앨범에서 찾아서 이야기 중간에 삽입하니 분량이 10여 쪽 늘어났다. 잭 표지를 구상하고, 낱개로 쓴 파일을 병합하고 쪽 표시등 편집은 둘째 딸이 도와주어서 책으로 엮어내니 약 130여 쪽 분량의 아담한 책 한권이 모습을 드러냈다 애초에 생각했던 것 이상으로 책이 예쁘게 나왔다. 뭔가 한 가지 큰일을 해낸 것 같은 뿌듯함과 첫 책을 냈다는 자부심에 가슴이 벅차올랐다.

새해를 맞이하여 뭔가 의미 있는 일을 한 가지 해보고 싶다면 자서전쓰기에 도전해 보라고 권유하고 싶다. 특히 인생의 경로에서 50플러스 정도의 시점에 도달한 분이라면 인생 후반전에 살아갈 방향을 설정하고 지나온 삶에 대한 중간 점검으로 자서전쓰기 만한 것이 없다고 생각한다. 인생 백세시대에 후반전이 더욱 빛나기를 바란다면

50+세대여 과감히 자서전쓰기에 도전하라 !!!

초보 요리 도전기

　은퇴한 남편이 집에서 식사를 몇 끼 하는지를 두고 '삼식이 시리즈'가 유행한 적이 있다. 한 끼도 안 먹으면 사랑스러운 영식님, 한 끼만 먹으면 일식군, 두 끼를 먹으면 두식이, 세 끼를 다 찾아 먹으면 삼식 세끼, 그냥 우스개소리로 넘기기에는 곱씹어 보아야 할 부분이 있다.

　왜 이런 유머가 유행하게 되었을까? 힘들게 직장 생활하며 밤낮없이 일 하고, 가정경제를 책임지고 있을 때는 세끼가 아니라 저녁에 야식을 먹더라도 아무도 뭐라 하지 않았을 거다. 은퇴하고 경제활동을 못하고 돈을 벌지 못하니, 집에서 마누라 눈치도 보이고 활동반경이 줄어들면서 정신적으로도 위축되는 데 밥 먹는 거 가지고 여자들이 유머 아닌 유머로 남편들을 조롱 하니 남자들만 서러운 세상이다. 에잇 ! 이런 뭣 같은 세상 한바탕 욕이라도 해주고 싶은 심정이다.

　그러나 한편 돌이켜 생각해보면 남자들이 삼식이 소리를 듣게 된 이유는 남자들에게도 책임이 있다. 직장생활할 때는 바쁘다는 핑계로 요리할 시간도, 의지도 없었지만 은퇴 후 시간이 많이 생겼음에도 요리에 무관심했던 것이 그 이유 중 하나일 것이다. 나도 은퇴하고 4년차에 접어드니 집안일이 많이 익숙해졌지만 지금도 가장 어려운 집안일은 요리라고 고백할 수밖에 없다. 집안일 3종 세트(청소, 세탁, 요리)중에서 가장 난이도가 높고 시간도 많이 소요되고 남자들이 엄두를 못 내는 것이 요리임은 엄연한 현실이다.

은퇴 후 와이프가 나에게 요구한 것은 딱 한 가지 요리를 배우라는 거였다. 나는 내심 요리 그까이꺼 뭐 대충하면 되지 배울게 뭐 있나? 인터넷에 보면 레시피가 널려 있고 TV만 틀면 먹방, 쿡방에 백종원 쉐프가 나와서 충청도 사투리 섞인 억양으로 요리 참 쉽지유 ? 하면서 시청자를 유혹하는 말에 넘어가 요리를 만만하게 생각했다. 그러나 막상 해보면 요리가 생각만큼 쉬운 게 아니고 더구나 맛있는 요리를 한다는 것은 또 다른 차원의 문제였다. 그래서 요리를 배우기로 결단을 내렸다. 물론 직장 다닐 때 지방근무를 하게 되면서 생존차원에서 요리를 몇 가지 해보기는 했었다. 김치찌개, 된장찌개, 계란찜, 카레요리, 오이무침, 가지무침, 진미채무침 등 밥반찬으로 간단히 만들 수 있는 요리를 몇 가지 인터넷으로 보고 만들면 그다지 맛은 없어도 아쉬운 대로 밥반찬으로 먹을 만 했다. 그러나 집에서 내가 만든 반찬을 맛본 식구들의 반응은 그저… 말이 없었다. 그래서 결심했다! 나의 요리를 식구들에게 인정받아야 되겠다. 굳게 마음먹고 노원 50플러스센터에 [남성 초보를 위한 뚝딱뚝딱 간편 요리]를 수강했다. 1,2차에 걸쳐 14주 코스를 수료했다.

첫 시간 요리는 해물 뚝배기와 미니해물 파전이었다. 해물 뚝배기는 새우, 바지락, 오징어를 잘 손질하고 ,호박, 미나리,야채를 잘 씻어서 적당히 썰어서 된장, 고춧가루, 마늘을 넣어서 끓여내는 요리다. 코로나 때문에 마스크를 쓰고 실습하기 때문에 요리를 간도 볼 수 없었고, 오로지 레시피대로 만들어 집에 가져가서 맛을 볼 수밖에 없었다. 가족들의 반응이 좋았다. 맛있다고 이구동성으로 칭찬해주니 기분이 으쓱했다. 재료가 비슷해서 미니 해물 파전도 함께 했는데 식용유를 두르고 반죽을 적당히 나누어 구우며 중불로 타지 않도록 잘 뒤적거려 주는 것이 포인트였다. 파전 역시 식구들의 평가는 굿 ～～～이었다.

그렇게 3개월여를 보내고 나니 이제 더 이상 요리가 겁나지 않고 어떤 요리라도 레시피만 있다면 도전해볼 용기가 생겼고, 몇 일 전에는 정년을 맞이한 와이프를 위한 저녁 요리로 영계백숙과 부추전을 만들어 대접하기도 했다 물론 큰 딸이 많이 거들어주는 바람에 수월하게 만들기도 했지만 이제는 슬슬 요리에 자신감이 차오르고 있다.

남자들이여 요리에 도전하라!!!

요리를 배워서 삼식이 탈출하고 가족들에게 맛있는 요리를 선사하는 멋진 아빠가 되어봅시다.

남자의 변신은 무죄

한때 '여자의 변신은 무죄'라는 화장품 광고 카피가 유행한 적이 있다. 여자가 예뻐 보이기 위해 화장을 하고 몸단장을 하는 것은 본능에 가까운 것이고 비록 외모가 조금 부족하더라도 화장을 통해 외모를 가꾸려는 노력을 하는 것은 죄가 아니고 오히려 칭찬받아야 할 일이라는 뜻으로 이해한다.

반면에 남자의 경우는 어떠한가? 요즘은 남자도 꽃미남이 인기이고, 남자 아이돌의 외모는 남자인지 여자인지 구분이 어려울 정도로 수려하고 외모가 경쟁력인 시대가 되고 말았다. 나는 여기서 외모이야기를 하려는 것이 아니고 남자가 한 평생을 살아가며 생애주기에 따라 어떻게 내면의 변화가 일어나는지 어떻게 성숙해 가는지를 나의 경험에 따라 말해보고 싶다.

대략 남자가 살아가면서 겪게 되는 인생의 주요 이벤트는 헤아려 보니 학교입학/군대입대/직장입사/결혼/출산/은퇴로 크게 구분해 볼 수 있겠다. 태어나서 부모님 슬하에서 어리광 피우며 살다가 생애 처음으로 맞닥뜨리는 첫 경험은 초등학교 입학일 것이다. 또래 친구를 만나고 무엇보다도 선생님을 만나는 일은 낯선 경험이 아닐 수 없다. 부모님과는 또 다른 존재인 선생님은 우리에게 가르침을 주면서 인격형성을 도와주는 고마운 분이다. 내 기억 속에 초등 학교때 선생님은 무서운 존재였던 것 같다. 어렵고도 무서운 분으로 기억에 남아있다. 그래서 선생님 말씀에는 무조건 복종하고 선생님이 내주시는 숙제는 밤을 세워서라도 꼭 해야 하는 것으로 알았다.이러한 생각은 대학교를 졸업할 때까지도 변함이 없었다. 숙제를 안 해갔던 기억이나 선생님 말씀을 어겨본 기억이 없는 것으로 보아 무척이나 성실하게 학창시절을 보낸 모범생이라 할 수 있다 학창시절 나는 성실함을 배운 것 같다.

학교 졸업후 입대한 군대(防衛召集으로 병역의무畢)는 다양한 경험을 가진 사람들을 만날 기회였다. 물론 강한 규율과 조직생활, 위계질서, 상명하복 같은 군대의 특성은 남자라면 누구나 다 아는 바 이지만 나는 군대에서 아니면 만날 수 없었던 다양한 배경을 가진 사람들을 만나며 사람에 대한 이해의 폭을 넓혔다. 구두닦이, 원양어선 선원, 떡 방앗간 주인, 대학교 강사까지 사회의 폭넓은 스펙트럼을 한 곳에서 모두 경험했다고 할까? 물론 그들이 경험한 애환까지 모두 알 수는 없었지만 다양한 배경을 가진 동료들과 지내며 인간에 대한 이해의 폭이 넓어진 것도 군 생활이 내게 준 소중한 추억이다.

직장생활은 생존경쟁의 場이었다. 入社 同期들은 소중한 나의 친구들이기도 했지만 조직 내에서는 나의 경쟁

상대인 것도 엄연한 현실이다 .대리/과장/차장/부장 한 직급 씩 올라갈 때마다 동기 중에 누구는 진급되고 누구는 안 되었는지를 따지다 보면 경쟁이란 것이 참으로 냉정한 것이란 것을 피부로 느끼게 된다. 자본주의 사회에서 경쟁은 어쩌면 피할 수 없는 숙명과도 같이 보이지만 경쟁을 통해 내가 발전하고 노력할 수 있는 동기부여를 해주는 것도 사실이다. 나는 직장생활을 하며 세상에 대한 이해의 폭을 넓히고 시야를 세계로 돌릴 수 있는 기회를 얻었다.

'세상은 넓고 할 일은 많다'는 대우그룹 故 김우중 회장의 말도 있지만 요즘 같은 글로벌 시대에 대기업에서 30년 넘게 근무하면서 바깥세상을 보고 이해하는 눈을 뜨게 된 것은 큰 보람이었다.

결혼은 나에게 신세계를 경험시켜준 사건이었다. 남자만 5형제 집안의 막내로 태어나 집안에 여자라고는 엄마밖에 없는 가정에서 살다가 한 여자를 만나 결혼을 한 것은 내게 일생일대 가장 새로운 세계를 만난 것처럼 경이로웠다. 평소 숫기가 없어서 대학 다닐 때도 미팅 한번 제대로 못하고 여자를 제대로 사귀어 본 적 없는 숙맥인 내가 친구의 도움으로(와이프는 절친의 직장동료)어렵사리 결혼을 하게 되었으니 지금도 맘속으로 친구에게 감사하며 살고 있다.

요즘 삼포세대(취업/결혼/출산포기)라 하며 젊은이들이 어려운 세태를 원망하지만 결혼하여 아이를 낳는다는 것은 결혼 못지않은 경이로운 체험이다. 부모를 닮은 아이가 태어나는 것을 보며 모든 부모가 그러하겠지만 나는 첫 느낌이 이제 입이 하나 더 늘었으니 더 열심히 일하고 돈도 많이 벌어서 내 아이를 잘 키워야 하겠구나 하는 느낌이 강하게 왔다. 출산은 책임감이라는 등식이 성립한다.

마지막으로 은퇴를 맞이하게 된다. 나는 3년 전 준비되지 않은 은퇴를 갑자기 맞이했다. 30여년 넘게 해오던 직장생활을 갑자기 그만두게 되자 갑자기 밀려오는 공허감과 상실감이 이루 말할 수 없이 컸다. 아침에 일어나서 갈 곳이 없어진 허망한 현실은 은퇴한 직장인이라면 누구나 공감이 갈 것이다. 나의 존재감이 없어지고 내가 어떻게 살아가고 무엇을 하며 소일을 할 것인지 생각하면 우울한 기분이 드는 것을 피할 수 없었다.

그 때 내 마음을 위로해 준 것은 법정스님의 말씀이 담긴 저서들이었고, 다른 한 편은 50+인생학교에서 만난 친구들 이었다. 법정 스님의 책에서 나를 돌아보고 주변을 살펴보고 지금까지 내가 추구하며 살았던 인생의 가치 즉 돈, 지위, 명예가 더 이상은 나의 인생의 우선순위가 아니라는 깨달음을 얻었고 인생학교에서는 재미있고 의미 있는 여생을 살아가겠다는 은퇴이후 생활의 방향을 찾았다.

 이제 나는 또 다른 변신을 준비하고 있다 .100세 시대라는데 남은 인생이 길다면 뭔가 새로운 도전을 지금 시작해도 시간은 충분하지 않을까? 무얼 해볼까 궁리하다가 시 쓰기에 도전해 보려고 공부하고 있다 평소에 시를 어떻게 쓰는지 윤동주, 정지용 같은 위대한 시인의 시를 보며 공감하고 감탄하고 어찌하면 저런 훌륭한 시를 쓸 수 있는 지 마냥 부러웠는데 그 정도는 어림도 없겠지만 그래도 맘속에 생겨나는 감성을 멋진 시어로 낚아 올리는 언어의 낚시를 해보고 싶다. 혹시 누가 아는가? 10년 후쯤 시집 한권 내고 나도 당당한 시인으로 이름을 날릴 수 있을지? 이렇게 스스로를 위로하며 애써 용기를 내어본다.

제2의 청춘을 노래하자

위하여~위하여♬ 우리의 남은 인생을 위하여~

들어라 잔을 들어라 위하여~위하여♪

(中略)

무정한 세월이야 구름처럼 흘러만 간다

살아온 날보다 살아갈 날이 짧다

청춘의 꽃이여 ♪힘내자 (안치환, 위하여 가사中)

　은퇴하고 취미로 무얼 할까 고민하다가 노래가 맘속으로 훅 들어왔다. 나이가 60을 넘어가니 노래 가사처럼 살아온 날보다 살아갈 날이 짧다는 가사 구절에 공감이 되고 하루하루를 소중하고 유익하게 보내야 한다는 생각이 절로 든다. 은퇴하고 인생 후반전을 살고 있는 내 또래의 남자들에게 취미가 뭐냐고 물어보면 대게 확실하게 이것이요 라고 답을 못하는 것이 사실이다.

　5년 전 은퇴를 하고 나도 시간을 유익하게 보낼 취미로 무엇이 좋을까 생각하다가 과거에 내가 무얼 했을 때 즐거웠나 돌이켜 생각해보니 노래 부를 때 신나고 즐거웠던 기억이 불현듯 기억나서 노래를 해보고 싶다는 생각이 들었다. 노래 그 중에서도 성악을 배워보고 싶다는 생각에 인터넷도 뒤져보고 여기저기 알아봤지만 딱히 맘에 드는 것을 찾을 수 없었다. 그런데 50+서부캠퍼스에서 성악교실을 연다기에 이거다 싶은 생각에 바로 등록을 하고 수업을 들었다.

매 주 한국 가곡을 한곡씩 배우고 수강생들이 한 명씩 돌아가며 앞에 나와서 독창을 하고, 지도교수의 원 포인트 레슨을 받는 방식으로 진행되었다. 선구자, 사공의 노래, 그리운 금강산, 청산에 살리라 등 유명한 한국가곡을 20 여곡 배웠다. 그 이후에는 기초반을 수료한 수강생을 대상으로 심화반 과정이 있었다. 가고파, 기다리는 마음, 마중, 첫 사랑 등 비교적 최신 가곡을 배울 기회를 가졌다. 함께 배우는 동기들과 서로 친해지고, 끝나면 함께 회식도 같이하며 친목을 도모하고 커뮤니티로 발전하며 노래를 지속코자 하였으니 코로나가 심각해지며 모임이 어려워져서 노래모임도 중단되고 말았다.

그 후 어느 날 지도교수이던 S교수가 남성 중창단을 결성하려는데 함께할 의향이 있는지 물었다. 하고 싶은 마음은 있었지만 그 당시 어머니가 고령에 몸이 편찮으셔서 매주 간병을 해야 하는 상황이라 참여가 어렵다고 고사하고 말았다. 이후 오플 중창단 (50+중창단의 略字)이 결성되고 10 여명 내외로 단원들이 모여서 활동을 시작했다. 나는 나중에 합류했다.

매월 두 번씩 모여서 정기연습을 하고 공연요청이 들어오면 공연도 수시로 하고 자발적으로 사회적 약자들을 위한 봉사활동도 정기적으로 하고 있다. 금년에도 여름에 은평구에 있는 은평의 마을이라는 시설에 찾아가서 합창봉사를 하고 왔다. 은평의 마을은 사회적 약자 (노숙자)들이 모여 사는 시설로서 규모가 제법 큰 공익시설인데 매년 1회씩 오플 중창단이 찾아가서 정기연주로 원생들에게 즐거움과 용기를 주고 온다. 공연을 할 때 함께 즐거워하는 모습과 끝나고 고맙다고 인사하는 모습을 보면 우리 자신들도 위로받게 되는 것이 봉사의 매력이다.

 어제 (9/16,토)는 은평 평생 학습관에서 매년 주최하는 『은평구 평생학습축제 공감한 데이 』에 초청을 받아 <응답하라 ! 가을추억>이라는 주제로 위하여, 향수, Take me home country roads, 우정의 노래, 네 곡을 부르고 청중들의 요청으로 오 ! 솔레미오 를 앵콜 곡으로 멋지게 불러 주최측 담당자가 최고라고 엄지척을 해주어 어깨가 으쓱했다. 이 행사도 매년 하는 행사인데 작년에 이어 금년에도 초청을 받아서 참여하게 되었다. 청중의 반응도 좋았고 공연도 잘 끝나서 맥주 집에서 치맥으로 뒤풀이를 하며 그간의 노고를 단원 서로가 치하하며 즐거운 시간을 가졌다.

 취미로 할 수 있는 것이 여러 가지가 있지만 노래만큼 좋은 것이 없다고 생각한다. 노래를 부르면 스트레스가

해소되고, 정신건강과 치매예방에도 도움이 된다고 하니 이만한 것이 없다고 생각이 된다. 특히 우리나라 사람처럼 노래 부르기 좋아하는 민족이 없다는데 노래방 가서 18번 한 두곡쯤 누구나 할 수 있으니 노래를 배워보면 누구나 노래가 자신의 취미라고 당당히 말할 수 있는 때가 올 것이다. 백세 시대라고 하는데 길어진 인생만큼이나 취미도 다양하게 계발하면 노후가 지루하지 않고 하루하루가 즐겁고 유쾌한 날들이 될 것이다.

은퇴자여 ! 노래를 부르자 ♬

청춘의 꽃들이여 노래로 第2 의 靑春을 노래하자 ♪

프리테니스로 즐거운 인생

올.팍.프.테 이건 무슨 말일까요? 조금 더 풀어서 말하자면 올림픽 공원 프리 테니스를 줄여서 한 표현입니다. 영어로 쓰면 *Olympic Park Free Tennis* 가 되네요. 첫 글자를 따서 올팍프테 라고 약칭을 한 거죠.

작년 9월 말 경 한동안 열심히 배우던 수영이 호흡곤란(?)으로 서서히 흥미를 잃어가고 있던 무렵에 수영반 동료인 J가 프리테니스를 한다기에 구경하러 따라 갔다가 얼떨결에 프리테니스를 시작하게 되었다. 붙임성 좋은 B 총무(지금 회장)가 몇 번 같이 쳐 보더니 순발력도 좋고 잘 한다고 칭찬해주며 클럽에 가입하라고 권유하는 바람에 못이기는 척 가입을 하고 말았다.

프리테니스는 테니스장 크기의 1/10 정도 되는 경기장에서 높이 40Cm 정도 되는 네트를 치고 탁구채보다 2배 정도 되는 라켓으로 말랑말랑한 고무공을 쳐서 상대 코트로 공을 보내서 승부를 가르는 종목이다. 한 마디로 얘기하면 탁구와 테니스를 혼합하여 두 종목의 장점만을 취하여 더 쉽고 재미있게 할 수 있도록 고안된 생활체육의 한 종목이다.

처음 본 경기 모습에 재미를 느껴 연습용 라켓으로 한두 번 쳐보니 그리 어렵지도 않고 나름대로 경기하는 재미가 쏠쏠해서 첫 날 바로 회원가입을 하고 클럽의 회원이 되었다. 그런데 총무님이 하시는 말씀이 우리 클럽은 운동도 좋아하지만 특히 새로 회원을 받을 때는 人性을 최우선으로 본다는 것 이었다 같이 간 J가 추천한 사람이라 나를 믿고 회원으로 받아준다고 했다. 나는 한 편으로 의아하기도 하고 일단 받아준다니 고맙기도 해서 알겠다고 하고 나중에 시간이 지나며 우리 클럽의 분위기를 제대로 알게 되었다.

우리 클럽은 회원의 연령대가 50대에서 70대까지 다양한데 나이와 상관없이 서로 존중하고 운동실력의 차이가 있지만 서로 배려하며 즐겁게 운동하기 때문에 운동하는 시간이 즐겁고 유쾌하기만 하다. 일주일에 세 번 (월,화,목)운동하는 날은 당번이 정해져 있어 조금 일찍 나와서 네트를 치고 플랭카드를 걸고 회원들이 편하게 운동할 수 있도록 돕는다.

또한 간식도 돌아가며 준비하여 운동 중간에 서로 나누며 운동하다 지치지 않도록 하고 있다. 운동하는 날에는 설레는 맘으로 일찍 일어나 운동장에 나간다. 네트를 치고 난타로 몸 풀기를 하다보면 어느새 온몸에 기분 좋은 땀이 흐르며 엔돌핀이 돌기 시작한다. 두 명씩 짝을 지어 복식으로 게임을 하며 엎치락 뒤치락 21점을 먼저 내는 팀이 이기는데 승패에 상관없이 멋진 플레이가 나올 때마다 서로 나이스를 외치며 격려해 준다.

이렇게 즐겁게 운동하다 보면 3시간이 어떻게 흘렀는지 모를 정도다. 운동을 끝내고 나서는 인근 식당으로 자리를 옮겨 점심식사를 다 함께 나눈다. 살아가는 이야기, 알아두면 생활에 도움 되는 정보, 건강 정보 등을 서로 나누며 식사를 하다보면 헤어지기가 싫어질 때도 있다.

벌써 프리테니스를 시작한 지 1년이 다 되어 간다. 그동안 운동으로 체력도 많이 향상되었고 무엇보다도 회원들과 서로 친해지고 즐거운 순간들을 함께 하다 보니 해외여행을 가서도 생각나는 모임일 정도로 정이 많이 들었다.

나는 오늘도 가방을 둘러메고 올림픽공원을 향해 집을 나선다. 그곳에 운동을 좋아하고, 사람을 좋아하고, 서로가 배려와 존중으로 즐거운 인생을 함께 만들어가는 올.팍.프.테. 회원들이 있기에...

4.여행으로 삶의 활력충전

유럽 예술 여행
고비에서 만난 인생의 고비
서부 5기 인생 정모
야송 갤러리 가을추억

유럽 예술여행

2023.7.14-2023.8.2, 18박19일

출발 전에

희정이가 프랑스로 유학을 떠난 것이 작년 9월이었다. 잘 다니던 회사를 그만두고 빵 공부를 더 해보겠다고 과감히 유학길에 오른 것이다, 부모 마음에 걱정되는 것이 많았지만 본인이 심사숙고하여 결정한 일이고, 어떤 일이든 결정하면 꼭 이루고야 마는 딸의 성정을 잘 아는 지라 두 말 없이 응원해주기로 했다. 회사를 그만두고서 처음으로 불어공부를 시작한 탓에 짧은 시간에 새로운 언어를 익힐 수 있을 지 걱정했지만 금년 봄에 어학 자격시험을 통과했다 해서 한편 대견하고 역시 기대를 저버리지 않는 딸아이 덕분에 괜히 혼자 어깨가 으쓱 했다.

공부할 학교가 8월 개강이라 7월 말경 학교가 있는 루앙으로 이사를 해야 한다고 해서 이사도 도울 겸 이참에 온가족 유럽여행을 하기로 결정했다. 처음 어학연수를 한 곳은 몽펠리에라는 남프랑스 휴양도시였는데 빵 공부할 루앙은 파리 북쪽의 도시라 이삿짐을 옮기는 것이 큰 일 이었다.거리도 멀고 우리나라처럼 이삿짐센터가 있는 것도 아니라서 이삿짐을 운반만 해주는데 이백만원 이상 비용이 소요된다 해서 우리가족이 총출동해서 이사를 돕

105

기로 한 것이다.

그래서 이사를 전후로 해서 여행을 하기로 계획을 세웠다. 여행 계획은 희정, 항공편 예약은 주현이가 하기로 역할을 분담했다. 희정이 세운 여행계획은 일자별로 여행 내용과 숙소, 교통편 및 비용, 시간, 특이사항까지 꼼꼼하게 작성되어 빈틈이 없었다. 게다가 개인별 준비사항까지 별도로 작성한 여행계획서는 마치 여행사에서 단체 여행하는 여행자에게 보내는 일정표와 비교해도 손색없는 계획서였다. 대략의 여행개요는 스페인 바르셀로나에서 가족이 모여서 여행을 시작하여 프랑스 니스→엑상 프로방스→아를→몽펠리에→루앙→파리→서울로 돌아오는 18박 19일의 대장정이었다. 자유여행이다 보니 가보고 싶은 곳, 의미 있는 곳 위주로 장소를 정했고 숙소도 에어 비엔 비를 이용해서 현지인의 삶을 조금이나마 체험해 보고자 했다. 현지에서 이동도 트렘, 버스 등 현지인들과 함께 이동하는 수단을 통해 그들의 분위기를 느껴보고자 했다.

바르셀로나로 출발

몽골여행에서 돌아온 지 2주 만에 다시 인천공항에 출국을 위해 도착한 것은 7월 14일 (금) 오전 9시경 이었다. 대한항공 바르셀로나 행 비행기는 11시 55분 출발

예정이라 공항에서 빵과 우유로 간단히 아침을 해결했다. 당일 아침 서울에는 호우경보가 내려지고 이슬비가 내리는 가운데 공항에 도착하니 기대감에 출발 전부터 가슴이 두근두근 뛰기 시작했다. 14시간의 장거리 비행 끝에 바르셀로나 공항에 도착한 것이 현지시간 오후 7시 경이었다. 해가 지지 않아서 대낮처럼 밝은 가운데 더위는 서울과 비슷했다. 공항버스를 타고 약속장소로 출발했다. 기차로 먼저 스페인에 도착한 희정이가 버스정류장으로 마중을 나왔다 거의 1년 만에 가족상봉이었다. 하지만 브이로그로 일상을 공유하다 보니 마치 엊그제 만난 것처럼 익숙하게 안부를 묻고 가벼운 포옹을 했다.

　바로 숙소로 가기엔 시간이 좀 이른 것 같아서 간단히 요기를 하기로 했다. 노천 레스토랑에 가서 생맥주와 안주를 시켜놓고 무사 도착한 것을 축하하며 그동안 못 나눈 이야기로 수다를 떨었다. 거리에서 처음 본 스페인 사람들의 옷차림은 한여름이고 뜨거운 날씨를 감안해도 너무 자유분방하고 노출이 심해서 처음에는 어디로 눈을 돌려야 할지 난감했다. 여자들은 거의 가슴을 다 드러내놓고 다니고 남의 눈을 전혀 의식하지 않고 자유롭게 다니고 있었다. 시선이 자유로워지는 데 시간이 필요했다.

　숙소를 찾아가니 시설과 환경이 너무 쾌적하고 침실도 단정하게 정돈되어 있어 너무 맘에 들었다. 그동안 여행이라면 당연히 호텔에서 묵는 것만 생각하다가 처음으로 에어비앤비를 경험하는데 이만하면 호텔 부러울 것 하나 없다는 생각이 들고 비용도 그렇지만 환경도 좋아서 앞으로 여행은 에어비앤비를 적극 이용해야겠다고 생각했다. 오랜 여정에 피곤하기는 했지만 오랜만에 온 식구가 한 자리에 모여 가볍게 맥주를 한잔 하며 못 다한 이야기를 나누었다. 비행기 안에서 누가 라면을 먹는데 그 냄새가 진동을 해서 먹고 싶기도 하고 냄새 고문에 괴로웠다는 이야기를 하며 모두가 깔깔 웃었다. 비행기 안에서 먹는 라면 맛은 어떨까? 상상만 해도 흐뭇 하지만 냄새는 고문 수준이었던 괴로운 경험이었다.

가우디를 만나다

여행 출발지를 바르셀로나로 정한 것은 스페인을 간다면 가우디의 건축을 꼭 한 번은 봐야 된다는 가족들의 의견이 있었다. 바르셀로나 하면 떠오르는 것이 리오넬 메시와 FC 바르셀로나 축구팀, 그리고 열정적인 스페인 국민과 투우 정도지만 이번 여행을 통해서 새로이 알게 된 가우디와 그의 건축 작품은 누구라도 일생에 한 번쯤은 볼만한 가치가 충분한 작품이라 추천하고 싶다.

그래서 당연히 바르셀로나 여정은 가우디 투어로 시작하게 되었다. 아침 일찍 집결장소에 도착하여 보니 한국

사람들로만 구성된 투어일행이 까사 바트요 주택 앞에 모여서 가이드가 나타나기를 기다리고 있었다. 잠시 후 나타난 한국인 가이드는 약간 흥분한 어조로 이 곳 스페인에서 관광을 할 때 동양인, 특히 한국인들은 소매치기를 조심해야 한다고 강조했다. 오늘 아침에도 여행객 한 명이 소매치기를 당했다고 하면서 마치 본인이 당하기라도 한양 분개하면서 속상하다고 했다. 그런데 그때는 그저 남일 이려니 하면서 우리 가족하고는 상관없는 일이지만 주의는 하고 다녀야겠다고 생각했다. 하지만 우리 가족에게도 그런 일이 일어날 줄 누가 짐작이나 했겠는가? (파리 편에서 ...)

까사 바트요 정문 앞에서 시작된 가우디 투어는 아침 8시부터 오후 5시까지 버스로 이동하며 진행된 강행군 투어였는데 가장 인상에 남고 감동적인 것은 역시 사그라다 파밀리아였다.(스페인어로 '성스러운' 이라는 뜻을 가진 사그라다, '가족'을 뜻하는 파밀리아) 카탈루냐 출신의 건축가 안토니 가우디가 설계하고 직접 건축을 책임졌다고 한다 .2010년 11월 교황 베네딕토 16세는 이 성당을 대성당으로 승격을 선포했다고 한다. 가우디는 생전에 이 성당을 완성하는 데 2백년이 걸릴 것이라 예상했는데 건축기술과 컴퓨터 기술의 발전에 힘입어 본체 기준 2026년, 가우디 사후 1백 주년을 기념하여 완공 예정이라 한다. 대충 계산해도 140년 넘게 걸린 작품이다. 빨리빨리 를 입버릇처럼 달고 사는 한국이라면 도저히 지을 엄두도 내지 못할 공사기간이라 할 것이다.

성당 내부에 들어가서 천정을 올려다 볼 때 드는 생각은 이것이 과연 인간이 만든 작품일까 눈으로 보면서도 믿기 힘들 만큼 웅장하면서도 섬세하고, 자연에서 가져온 곡선의 아름다움이 눈을 매혹시킨다. 외관은 또 얼마나 장대한지 첨탑 끝까지 높이만 자그만치 172m, 성당 외벽에 조각된 성경 속 스토리가 눈길을 사로잡는데 내부의 스테인드 글라스는 외부의 빛을 투과시켜 환상적인 색의 조화를 표현하는데 현란하기 이를 데 없다. 49개국 언어로 표현된 부조물 가운데 한글로 '생명의 양식을 주소서'라는 문구를 볼 때는 괜시리 가슴이 벅차오르기도 했다. 매 순간마다 감동과 전율을 느끼며 가우디 예술혼에 절로 경의를 표하고 싶었다.

그러나 가우디는 비참한 최후로 생을 마감했다는데 참으로 어처구니 없기도 했다. 성당 미사를 마치고 귀가하던 길에 전차에 치어 치명상을 입었는데 행색이 초라한 가우디를 행인들이 알아보지 못하고 우여곡절 끝에 빈민들을 돌보는 병원으로 옮겨졌으나 깨어난 가우디가 "옷차림으로 판단하는 이들에게 거지같은 가우디가 이런 곳에서 죽는다는 것을 보여 주게 하라" 면서 가난한 사람들 곁에서 죽는 게 낫다며 비참하게 생을 마감했다고 전해지고 있다. 천재 건축가의 죽음이라기엔 너무나 허망하고 쓸쓸한 모습이라 아니할 수 없다.

니스에서 해수욕을 ...

바르셀로나의 강렬했던 여정을 뒤로하고 드디어 프랑스 니스에 도착했다. 부엘링 항공편을 이용해 1시간 20분 만에 도착했다. 비행기 출발시간이 오전 7시 10분인지라 새벽 4시에 모두가 잠든 고요한 거리를 대형 캐리어로 지축을 울리며 온가족이 공항으로 가는 길은 마치 전투에 출정하는 병사들같이 자뭇 비장하고, 왠지 부지런히 여행을 즐기는 듯해서 한편 뿌듯하기도 했다. 니스에 도착한 시간이 일러서 여행 가방을 보관소에 맡기고 시내를 둘러보기로 했다.메세나 광장과 니스해변을 둘러보았다 원래는 도착한 날에 니스해변에서 해수욕을 할 계획이었지만 이른 새벽부터 이동을 위해 움직이고 가족들이 피곤한 기색이라 다음 날로 계획을 바꿔서, 일단 해변에 나가 분위기를 보기로 했다.

해수욕하는 사람들은 어떤 옷차림을 하고 왔는지, 샤워장은 어디에 있는지, 탈의실은 있는지 두루두루 둘러보니 탈의실은 따로 없고(숙소에서 수영복을 입고 위에 가벼운 옷을 걸치고 가야됨), 햇빛을 피할 곳이 없으니 파라솔은 필수며, 선크림을 잘 발라주어야만 살갗이 타는 것을 막을 수 있을 듯 싶었다. 첫날의 니스 바닷가 탐색전

(?)을 알차게 마치고 아쉬운 발걸음을 돌려 숙소로 돌아왔다.

드디어 니스해변에서 해수욕을 하는 날, 수영복이며 각종 장비를 철저히 챙겨 온가족이 바닷가로 출동했다. 바닷물에 들어가기 전에 전망 좋은 까페에서 브런치로 아침식사를 했다 크라상, 바게뜨, 오믈렛에 간단한 음료까지 곁들이니 든든한 한 끼가 되고 물놀이할 만반의 준비가 갖춰진 기분이었다. 해변으로 내려가 자갈밭을 지나 물가에 돗자리를 펴려고 주위를 둘러보았다. 작열하는 태양 아래 물놀이를 하는 사람들도 많지만 파라솔을 펴거나 대형 수건을 바닥에 깔고 일광욕을 하는 사람도 많았다. 또한 그 와중에 책을 읽으며 여유를 만끽하는 사람도 있어서 역시 프랑스가 선진국이며 유행과 문화를 선도하는 국민임을 느낄 수 있었다.하늘은 청명하고,구름은 붓으로 그린 듯이 새하얀데 바닷물에 몸을 담그니 시원한 바닷물은 좋지만 입으로 들어온 바닷물 맛은 소금물보다 더 짰다.

해수욕했던 기억을 더듬는 데 아마도 아이들 어릴 적에 동해안으로 간 기억이 있지만 무려 20년은 지난 추억이었다. 감회가 새로웠다. 식구들과 내가 번갈아가며 바닷물에 몸을 담그고 바다수영을 맘껏 즐겼다. 여행가기 전 집사람은 1년 넘게 올림픽 수영장에서 강습을 받고 아이들도 수영을 배운 적이 있어서 여유롭게 바다수영을 즐겼다. 나도 4개월 수영을 배웠지만 호흡법을 익히지 못해서 먼 거리와 깊은 물은 무서워서, 발이 닿는 곳까지만 바다로 들어가서 흉내만 내고 왔다.

기필코 다시 수영을 배워 담에는 멋지게 바다수영을 하리라 다짐했다. 집사람은 프랑스에 가면 꼭 니스에 가서 바다수영을 해보는 것이 버킷리스트 중 하나라며 수영복도 새로 사고 강습도 열심히 받았는데 그 덕인지 물속에서 여유롭게 물살을 가르며 수영하는 모습이 보기 좋았다. 모든 식구들이 즐거워하는 모습에 나도 덩달아 기분이 좋아졌다.

샤갈을 만나다 (Chagall et moi, 샤갈박물관 50주년 기념)

프랑스를 여행하며 느낀 점 중 하나가 가는 도시마다 미술관과 박물관이 있고, 국민들도 작품을 진지하게 감상하며 예술을 향유하는 모습이 부러웠다. 우리가 묵었던 숙소마다 그림이 한두 점은 기본처럼 걸려있고 심지어 주인이 화가이거나 영화감독인 경우도 있어 우리가 예술의 분위기를 온몸으로 느끼며 여행을 했다는 기분이 들었다.

샤갈은 러시아 태생의 프랑스 화가로 피카소와 함께 20세기 최고의 화가로 일컬어진다. 환상적인 주제를 화려한 색과 특유의 능란한 붓질로 묘사했는데 표현주의나 입체파, 추상미술과 같은 이전의 운동을 반영하고 있으면서도 개인적인 성향을 띠며, 현대 미술에서 처음으로 정신의 실체를 나타낸 것으로 평가받는다 (샤갈평가. 다음백과사전 인용)

샤갈하면 떠오르는 이미지가 하늘을 날아다니는 사람과 동물처럼 비현실적인 그림, 화려한 색채가 인상적인 작가로만 알고 있었는데 우리가 니스를 방문한 시기에 샤갈미술관 창립 50주년 기념전이 열리고 있다기에 주저 없이 찾아 갔다. 뙤약볕이 뜨거운 7월의 셋째 주 월요일 버스를 타고 정류장에 내려서 언덕길을 힘들여 올라갔다. 샤갈 미술관에는 그의 작품 중 성경의 스토리를 모티브로 한 그림과 판화작품 및 스테인드글라스까지 작가의 폭넓은 초기 작품을 볼 수 있었다.

평일이라 그런지 사람이 붐비지 않고 여유롭게 관람하기 좋았다. 그림을 보며 느끼는 점이 내가 미술에 관하여 아는 것이 너무 빈약하여 제대로 작품을 감상하는지 의문이 들었다. 사전에 공부라도 좀 하고 올 걸 미술 전시회에 자주 가볼 걸 하는 후회가 밀려왔다. 하지만 앞으로는 미술에 좀 더 관심을 더 기울여야겠다는 다짐을 하며 미술관을 나왔다.

미술관 앞마당에 작은 정원이 정갈하게 꾸며져 있고 까

페도 있어 관람객들이 차를 마시며 한담을 나누고 있었다. 우리도 차와 음료를 시켜 마시며 더위도 식히고 감상 후 소감을 나누었다. 미술에 대한 관심을 가지게 된 것 만으로도 이번 여행의 큰 소득이라 스스로 위로하며...

세잔 아뜰리에 (엑상프로방스)

니스에서 3일간 꿈같은 시간을 보내고 기차로 엑상프로방스로 이동했다. 엑스(이후 엑스로 표기)는 세잔이 나고 자란 도시로, 그가 말년에 기거하며 작업실로 쓰고 지금은 유품 및 그림소재, 화구등 그의 창작의 흔적을 느껴 볼 수 있는 전시관으로 운영되는 세잔 아뜰리에가 있는 곳이다. 엑스는 순전히 세잔을 보기 위해 간 곳이다. 기차를 타기위해 티켓을 끊고 플랫폼으로 입장하려는데 개찰구 기계가 오류가 나며 입장이 안 돼 난감해 하는데 희정이가 역장과 통화를 하더니 온 가족 일괄패스해도 된다며 문제를 해결했다.

여행을 하다 이런 경우가 생기면 언어소통으로 곤욕을 치를 수 있는데 희정이 덕분에 쉽게 문제를 해결했다. 기차를 타고 갈 때 남프랑스의 한가로운 농촌 풍경을 눈에 많이 담을 수 있었다.한가로이 풀을 뜯고 있는 소떼, 말 떼, 풀밭, 과수원등 평화로운 가운데 여유가 느껴지는 남프랑스의 일상 전경이었다.

세잔 아뜰리에는 1954년에 일반에 공개되었다는데 그가 이곳으로 작업실을 옮긴 것은 1902년이고 1906년 죽을 때까지 거처했다니 세잔은 이곳에서 말년을 보낸 셈이다. 소박한 건물 외관과 작은 정원까지 갖춘 아뜰리에는 그를 추모하고 작품을 보려는 관람객이 끊이지 않는 곳이라 한다.

전시실에 들어서니 그가 평소 입고 다녔던 정장 상의 세 벌, 중절모 2개, 작업용 앉은뱅이 의자, 그림의 소재가 된 도자기 가구며 식탁, 식탁 위 과일과 술병, 와인잔이 그림처럼 놓여 있었다. 또한 대작을 그리기 위해 사용한 천정높이 사다리와 삼각대 이젤 등 지금이라도 당장 세잔이 걸어 나와 그림을 그리고 있음직한 분위기가 시간과 공간을 뛰어넘어 우리에게 세잔의 작품 활동을 고스란히 보여주는 듯 했다.

세잔은 오직 그림만을 위해 살았다. 그것이 인생의 유일한 열정이었다. 가족과 친구는 그 다음이었는데 이로 인해 그는 '엑스의 은둔자'로 불리기도 했다 세잔은 주변 세계를 화가의 눈으로 보았다. 그리하여 대상을 바라보면서 빛과 그림자의 효과를 연구했고 형태와 색채의 관계를 탐구했다. 그의 인생은 고통스러운 투쟁이었다. 독학으로 미술을 공부한 세잔은 자신이 기울인 노력의 결과에 그다지 만족하지 못했다. 아이디어를 완벽하게 재현하지 못한 그림은 기쁨이 아닌 고통의 원천 이었다. 그래서 자신의 무능력에 대한 실망과 분노로 그는 종종 캔버스를 부수곤 했다 (폴 세잔 p7 마로니에 북스 2007)

아를의 별이 빛나는 밤 (반 고흐)

엑스에서 세잔을 만나고 다음 여정은 반 고흐를 만나러 아를로 향했다. 아를은 현재보다 로마시대에 번성했던 도시라는데 알프스에서 지중해까지 이어지는 론강을 끼고 발전한 도시로 1981년 유네스코 문화유산으로 지정되었다고 한다. 아를은 37세에 요절한 반 고흐가 죽기 전 2년간 거주하며 그의 대표작을 그려낸 도시다. 해바라기, 아를의 도개교, 별이 빛나는 밤 등이 모두 아를에서 탄생한 고흐의 대표작들이다.

엑스에서 오전 11시 체크아웃을 하고 아를로 가는 12시 10분발 기차를 탔다.30분여를 달려 마르세유에서 내려 환승을 하고 다시 1시간 남짓 지나 아를 역에 도착했다. 아를에는 반 고흐와 관계된 장소가 많았다. 작품 소재가 되기도 했던 반 고흐 까페, 노란 집을 차례대로 둘러보았다 거리 곳곳에 고흐가 그린 풍경화가 마치 표지판처럼 서 있었다. 이곳이 고흐의 숨결이 묻어있는 곳임을 상기시켜 주었다.

레스토랑에서 저녁을 먹고 숙소로 돌아오는데 갑자기 정전이 되면서 도시전체가 암흑천지로 변했다. 다행히

가로등은 전원이 다른 지 불빛을 밝혀주고 있어 무사히 숙소로 돌아올 수 있었다.숙소로 들어와서 촛불을 켜고 앉아 있자니 이게 무슨 일인가 싶었지만 오는 길에 본 시민들의 담담하고 의연한 모습을 보면서 성숙한 시민의식을 느낄 수 있었다.

불도 없는 아를의 밤하늘은 별을 보기에 안성맞춤 이었다. 집 사람과 아이들은 별을 보러간다고 밖으로 나가고 나는 베란다에서 론 강 너머 비추는 별빛을 찾아보다가 문득 저 별이 고흐가 130년 전 <별이 빛나던 밤> 에 그린 별빛인가 생각하니 감회가 새로웠다.

이튿날 아침 일찍 숙소를 나와 <빛의 채석장>행 버스에 몸을 실었다.30 여분을 달려 古城이 있는 언덕에 오르니 앞이 탁 트인 전경이 눈앞에 펼쳐지는데 푸른 들과 멀리 지평선이 성 아래로 그림같다. 3월에 제주도에서 인생학교 동기들과 정모를 할 때 보았던 <빛의 벙커>의 原型이 바로 이곳 이란다.

이곳은 원래 채석장이 있던 곳을 전시공간으로 개조하여 천정이 높고 한여름에도 서늘한 기운이 감돌고 관람하기 쾌적한 환경이지만, 우리 가족들이 여름 옷차림으로 간 탓에 살짝 寒氣에 떨어야 했다. 반 고흐와 몬드리안의 작품들이 빛과 함께 현란하게 펼쳐진 전시는 보는 이로 하여금 감탄을 금할 수 없도록 멋진 모습을 보여주었다. 제주도에서 먼저 본 작품도 좋았지만 그보다 훨씬 웅장하고, 장소가 넓어서 그런지 감동이 배가되는 듯 했다.

관람의 여운을 느끼며 전시장을 나와서 까페에서 알롱제 커피와 디저트 케익으로 아침식사를 마쳤다. 내려오는 길에 뙤약볕 아래 성 주위를 둘러보다가 너무 더워서 시원한 나무 그늘 밑 까페에서 차와 음료를 마시며 더위를 식혔다. 시원한 매미소리와 바람이 한낮의 무더위를 식혀주며 마음의 여유를 찾아주었다.

와인과 마지막 만찬 (in Montpellier)

희정이가 프랑스 유학을 결정하고 어학연수를 시작한 곳이 몽펠리에다. 프랑스 최대 교육도시중 하나로 유명한데 오늘날에도 30만 가량 인구 중 30% 정도가 학생이라고 한다. 그래서 그런지 도시가 조용하고 사람들의 표정이 밝고 친절하며 외국인에게도 호의적임을 느낄 수 있었다. 희정이 말에 의하면 모르는 사람이라도 눈이 마주치면 인사해주고 친절해서 파리의 사람들과는 대조된다고 했는데 나중에 파리에 가서 직접 경험해보니 그 말이 사실임을 몸으로 느낄 수 있었다.

몽펠리에는 프랑스 남부 옥시타니 레지옹의 도시이며 프랑스 전체에서 8번째 큰 도시이자 남부지역으로 한

정해서는 마르세유와 니스에 이은 제 3의 도시이다. 프랑스 남부의 주요 도시들은 고대 그리스인들에 의해 식민도시로 개척되면서 시작된 경우가 대부분인데, 특이하게도 몽펠리에는 중세도시로 출발한다. 몽펠리에 인근의 마글론 이라는 도시가 10세기 무렵 지중해 일대 해적들의 창궐로 인하여 초토화되자, 이 지역을 다스리던 영주가 마글론을 포기하고 방어가 보다 유리한 내륙지역에 도시를 하나 건설하는데, 이것이 몽펠리에 역사의 출발이다.(나무위키 몽펠리에 편에서 인용)

아를에서 몽펠리에까지는 기차로 1시간 정도 거리다. 몽펠리에 희정의 숙소에 도착하니 에어콘도 없는 원룸에 침대 하나, 책상 하나, 간단한 주방시설이 단촐하다. 혼자 외로움과 싸워가며 유학생활을 버틴 희정이가 대단하다는 것을 새삼 느꼈다. 루앙으로의 이사를 위해 이삿짐을 다시 싸고 밀린 빨래를 빨래방에서 처리하고 덜 마른 빨래를 널어서 베란다에 펼쳐놓고 온 가족이 공원 풀밭에 돗자리를 깔고 누워서 휴식을 취했다. 저녁은 희정이가 평소 자주 갔던 베트남 쌀국수 집에 가서 베트남 요리로 배를 채웠다. 식사 후 몽펠리에 개선문과 공원을 산책했다. 공원 광장에서 불어오는 바람이 시원했다.

늦은 저녁 무렵, 우리 집 막내 동재가 혼자서 파리를 거쳐 몽펠리에 도착한다기에 희정이와 주현이가 마중을 나갔다. 동재는 여름방학을 맞이하여 일정상 조금 늦게 가족여행에 합류하게 되었다. 인천공항을 출발하여 파리, 몽펠리에, 그리고 숙소까지 오는데 무려 19시간이나 걸렸다고 했다. 모두가 힘든 여정을 마치고 도착한 막내를 진심으로 환영하고 반겨주었다. 밤늦게까지 동재의 여행담을 듣고 가족들과 못 다한 얘기를 나누느라 밤늦도록 수다를 떨었다.

이튿날 날씨가 흐린 관계로 바닷가 해수욕 계획을 취소하고 몽펠리에 시내 관광을 하기로 했다. 아침부터 시내 곳곳 골목길, 상가를 어슬렁거렸다. 한 참 걸어 다니다 보니 속도 출출하고 피곤하기도 해서 나무 그늘이 시원한 노천 레스토랑에서 지중해식 요리로 점심을 해결했다. 지중해식 요리는 올리브기름을 듬뿍 뿌린 샐러드와 가지튀김, 육회, 스테이크를 골고루 시켜서 그 맛을 음미해 보고자 했다.

오후에는 희정이가 공부한 어학원을 찾아 갔다. 수업중이라 교실에 들어가지는 못하고 학원 입구에서 사진을 찍고 아쉽지만 분위기만 느끼고 나왔다. 몽펠리에 성당에도 가보고 문구점과 엽서 판매점에 가서 구경을 실컷하고 왔다 숙소로 돌아오는 길에 마트에서 장을 봐서 저녁은 라면과 밥, 김치 등 모처럼 푸짐한 한식을 맘껏 즐겼다. 석양이 지는 저녁 무렵 온 가족이 둘러 앉아 소박한 저녁을 함께 나누며 다정한 대화를 나누니 이것이 진정한 행복이란 생각이 들었다.

와이너리 투어

몽펠리에 이튿날은 와이너리 투어를 하기로 했다. 희정이가 미리 예약을 해둔 덕에 좋은 경험을 해 볼 수 있었다. 가이드가 본인의 차로 약속장소에 대기하고 있다가 우리 일행(가족 5명, 외국팀 3명 총 8명)을 안내했다. 가이드는 자기가 말이 좀 많은 편이라 하면서 와인에 관해 산업동향, 제조방법에 따른 와인 맛의 차이 등 여러 가지를 자세히 설명했다.

먼저 포도밭을 구경했다. 넓은 포도밭에 포도가 탐스럽게 익어가고 있었다. 포도 농사는 기후와 밀접한 관계가 있는 데 일조량이 좋고 비가 적게 와야 포도가 잘 익고 맛도 좋아서 포도주 품질이 좋아진다고 했다. 특히 레드와인과 화이트 와인은 껍질을 넣고 와인을 추출하는 지 여부에 따라 결정되는데 레드와인은 껍질을 넣고 추출한 것이고 화이트 와인은 포도 알만 넣고 추출하여 즙이 많고 담백하다고 설명해 주었다. 만일 단맛을 내려면 설탕을 첨가해야 하는 데 프랑스 사람들은 설탕을 첨가하는 것을 좋아하지 않는다고 했다.

점심은 가이드가 자신의 집으로 초대하여 프랑스식 음식을 준비했는데 빵과 샐러드, 아보카도, 렌틸콩, 비트소스, 토마토쥬스, 염소치즈, 닭고기, 파스타로 근사한 한상을 차려주었다. 나무 그늘이 시원한 곳에서 가벼운 대화를 나누며 즐기는 점심이 기억에 남았다. 와이너리 투어는 프랑스 여행을 간다면 반드시 가볼 것을 권하고 싶다.

마지막 만찬

작년 9월에 희정이가 유학을 떠난다고 혼자 출국할 때, 공항에서 아쉬운 작별을 고하며 건강히 잘 다녀오라고 배웅을 했지만 맘 속 한편으로는, 안타까움과 걱정이 가득했다. 생소한 언어와 객지생활 모든 것이 낯선 타국에서 잘 적응하며 공부를 잘 할 수 있을지 부모로서 마음이 쓰였다. 그러나 어느새 1년 가까운 시간이 훌쩍 지나고 어학과정이 무사히 끝났고, 본격적인 공부를 위해 이사를 가야하는 시간이 다가왔다. 몽펠리에의 마지막 밤을 온 가족 만찬으로 마무리 했다.

미슐렝 맛집을 검색하여 미리 예약해둔 레스토랑에 나름대로 멋을 낸 옷을 차려입고 입장했다. 시간이 이른 탓인지 우리 가족이 제일 먼저 온 듯 했다. 조금 지나자 다른 손님들이 한 팀, 두 팀, 좌석을 채우기 시작했다. 모두가 나이가 지긋한 부부나 연인으로 보이는 손님들이었다. 식탁에 자리 잡고 앉아 분위기를 살피는데 직원이 메뉴판을 가져와서 주문을 받는다.

희정이가 능숙한 불어로 주문을 하고 나서 뒤이어 셰프

복장을 한 요리사가 나와서 요리에 대해 설명을 해준다. 우리는 첨보는 요리에 어떻게 먹어야 할지? 이건 먹는 건지 장식용인지 구분 안 되는 식재료를 보고 난감해하는데 희정이가 셰프에게 물어보고 먹어도 된다고 통역해줘서 맘 놓고 식사를 시작했다.

전채 요리 두 가지, 메인요리 두 가지, 디저트 두 가지 총 6가지 요리가 순차적으로 나오는 데 평균 30분에 한 가지씩 모두 3시간이 걸렸다. 음식은 첨 보는 요리인데 맛은 모두 좋았다. 하지만 식사하기 위해 3시간을 앉아 있어야 한다는 점이 힘들었다. 만찬을 즐긴다는 것이 이런 건가 생각이 들며 다른 테이블을 둘러보니 모두가 즐거운 표정으로 대화를 나누며 웃고 즐기는 모습이 우리와는 달랐다. 아~하 우리는 대화가 부족해서 시간이 지루하다 느끼고 있었구나 ! 프랑스 사람들은 평소에도 서로서로 안부를 묻고 가벼운 대화를 하는 데 익숙한 지라 이런 저녁 식사자리에선 당연히 대화가 풍부하고 화기애애한 분위기로 식사를 한다는 것을 느낄 수 있었다.우린 모두 대화가 더 필요해...

최후의 만찬을 즐기고 레스토랑을 나오기 전에 조명으로 멋지게 치장된 입구에서 각자 멋진 포즈로 사진을 찍었다. 밖으로 나오니 밤이 깊은데 푸른색 달빛이 우리를 내려다보며 웃고 있는 것 같았다. 몽펠리에 안녕!

루앙으로 대이동

루앙은 프랑스 북부 오트 노르망디 레지옹의 중심지이자 센마리팀주 주청 소재지다.파리 북서쪽으로 약 100km 떨어진 센강 하구에 위치하고 있다.시가지는 센강을 중심으로 右岸 의 舊市街地 와 左岸 의 新市街地 로 나뉜다. 수많은 성당들이 있는 성당의 도시로 유명하며 잔 다르크가 火刑에 처해진 곳으로 알려져 있다. (위키백과 인용)

전날 만찬으로 원기를 회복하고 다음날 힘차게 루앙으로 이삿짐 대이동을 시작했다. 몽펠리에에서 파리까지 기차로 3시간, 중간에 환승 대기 시간 (3시간)에 햄버거로 점심을 해결하고, 파리에서 다시 루앙으로 두 시간을 달려 루앙에 도착한 시간은 오후 7시경 아침부터 무거운 트렁크를 끌고 이동하느라 온가족 모두 힘들었지만 큰 숙제와 같던 이사를 무사히 마쳤다는 생각에 뿌듯함을 느낀 하루였다. 다음 날 희정이가 공부할 학교를 찾아가서 둘러보고 (방학중 학교 내부는 못 들어감) 길 건너 기숙사에 이삿짐을 옮겨 주었다. 기숙사 방은 4층에 위치했는데 침대와 책상만 있는 단촐한 방이지만 전망이 탁 트인 점이 맘에 들었다.

이사를 마치고 홀가분한 맘으로 루앙시내 관광에 나섰

다.이 곳은 교회와 성당이 많은 곳으로 유명한데 루앙대
성당에 가니 미국인 단체관광 팀이 가이드의 안내로 성
당 여기저기를 돌아보고 있었다 웅장하고 전통적인 성당
외관과 달리 내부는 수리 공사 중이라 관광이 불편했다.

　반면에 잔 다르크 성당은 전통적인 성당구조와는 다르
게 원형으로 설계된 좌석과 공연무대처럼 설치된 강단이
안락한 느낌을 주고 목재천장의 질감 때문인지 소박하고
정갈한 느낌 이었다.루앙 시립미술관에서 중세부터 현대
까지 시대 순으로 전시된 화가들의 그림으로 맘껏 눈호
강을 했다. 모딜리아니 작품 앞에서 사진도 한 컷 찍었다.

　점심은 크레페 맛집을 찾아갔는데 남프랑스의 친절하
고 미소가 예쁘던 사람들은 어디가고, 사무적이고 냉랭
한 표정으로 주문을 받는 식당직원을 대하니 분위기가
썰렁한 가운데 입맛이 갑자기 사라지는 것 같았다.프랑
스 북부는 사람들이 남부와 다르다더니 같은 나라 사람
이 맞나 싶을 정도로 확연히 달랐다. 이유는 모르겠지만
식사하는 내내 기분이 유쾌하지 못했다.

　그동안 더운 날씨에 여행하느라 땀을 많이 흘렸는데 루
앙에 오니 기온이　10도 이상 차이가 나며 긴팔 옷을 입
어도 될 만큼 시원했다. 마치 여름에서 가을로 성큼 건너
뛴 기분이었다. 관광하기에 더없이 좋은 날씨라고 가족
모두가 좋아했다.

파리에 입성하다

루앙에서 기차로 2시간을 달려 드디어 프랑스의 수도 파리에 입성했다. 난생 처음 파리에 도착하니 한여름 땡볕 속에서 땀 흘리며 힘들게 여행해온 우리에게 새로운 찬바람과 분위기를 불어넣은 듯 파리는 반전매력으로 다가 왔다. 기온이 30도가 넘는 남프랑스와 달리 파리는 20도 정도로 서늘한 날씨로 여행하기 딱 좋은 날씨였다. 도착한 당일 낮에는 해가 떠 있는데도 살짝 소나기가 내리고 걸어서 관광하기엔 날씨가 불편했다.

봉 마르셰 라는 마켓에 가서 지인들에게 줄 선물을 사기로 했다. 여행을 하다보면 선물 고르고 구입하는 것이 쉽지 않음을 누구나 느낄 것이다. 그래서 이참에 선물리스트를 작성해서 한 번에 쇼핑을 끝내기로 의견을 모았다. 이것저것 품목을 고르고 줄 사람을 고려해서 대량구매를 하니 제법 부피가 컸지만 여럿이 나누어 들고 오니 힘들 것은 없었다. 쇼핑까지 마치고 나니 이제 본격적으로 파리를 관광할 일만 남았다.

파리에서 묵었던 숙소는 7층 건물 맨 위 층인데 엘리베이터가 없는 오래된 건물인지라 여행 짐을 옮기는 것이 큰일이었다. 무거운 트렁크를 두 사람이 마주 들고 영차 영차 힘을 모아 나선형 계단으로 7층까지 옮기고 나면 진땀이 나고 다리가 후들거렸다. 몇 번을 왕복하고 나니 맥이 풀려서 더 이상 힘이 남아있지 않았다.

파리의 휴일 풍경

7월 30일(일요일) 일치감치 아침을 깨우고 파리에서 일정을 시작했다. 제일 먼저 찾아간 곳은 퐁피두센터 현대 미술관이었다. 샤갈, 간딘스키, 미로의 작품 등 유명 작가의 작품이 많이 있었다. 그림뿐 아니라 조각, 조형물, 사진까지 다양한 작품이 다채롭게 전시되어 볼거리가 풍성했다. 노트르담 성당은 화재로 인한 복구공사가 진행 중 이라 내부는 보지 못하고 가림막으로 펜스가 쳐진 담 너머로 사진만 몇 장 찍고 아쉬움을 달래야 했다. 셰익스 피어 古書店은 유명하다기에 갔는데 출입자 수를 엄격히 통제하며 입장객을 받는데, 관광객뿐 아니라 현지인들도 모두 질서정연하게 줄을 서며 입장해서 전시된 서적을 구경하고 맘에 드는 책을 구입도 하고 잠시 틈을 내어 책을 읽어보며 옛사람들과 책으로 소통하는 모습이 보기 좋았다. 집 사람도 기념으로 소설책을 한 권 구입했다. 센 강가에서 지나가는 유람선을 보며 손도 흔들어 주고 강변에서 한가로운 파리의 휴일을 만끽했다.

확실히 센 강은 파리 시민들이 사랑하는 휴식처인 듯 했다.강변에서 홀로 펜으로 스케치를 하는 중년 아저씨, 가벼운 대화로 수다를 떠는 아가씨들, 건너 편 강변에서 서로 손을 잡고 춤추는 사람들, 길에서 연신 입을 맞추며 사랑을 확인하는 연인 등 센 강의 오후는 사랑과 여유로 넘쳐났다. 저녁은 모처럼 한국식당에서 순 한식으로 향수에 젖은 위장을 달랬다. 김치찌개, 뚝배기불고기, 비빔밥, 된장찌개 각자 입맛대로 고른 음식으로 고향의 맛을 맘껏 즐겼다.

루브르 관람기

  파리하면 제일 먼저 떠오르는 곳은 에펠탑과 루브르 박물관이 아닐까? 이튿날 루브르를 보기위해 가이드 투어를 미리 신청해 두었다. 루브르는 보관 작품만 50만점이 넘고 전시된 작품은 3만 5천점 정도라는데 주기적으로 작품을 교체하며 전시중이란다. 작품수가 말해주듯 짧은 시간에 관람을 마치려니 가이드가 주요작품 위주로 설명하는 것을 따라가기도 벅차서 3시간이 언제 지난 줄 모르고 끝났다.

  특히 모나리자가 있는 곳에는 4명의 보안요원이 배치되어 관람객을 통제하고 가이드라인을 따라 사진 한 장 쫓기듯이 찍고 나와야 했다. 천천히 작품을 음미하며 감상하기란 애시 당초 불가능하고 가이드 말처럼 하루에 모든 것을 보는 것 또한 불가능한지라 아쉬움을 달래며

박물관을 나올 수밖에 없었다. 다음 기회를 기약하며...

지하철에서 만난 소매치기

에펠탑을 보러 가기위해 지하철을 타고 가는데 갑자기 희정이가 놀란 목소리로 '너 뭐하는 거야' 하면서 낯선 남자의 가방을 움켜쥐고 있었다. 나는 순간적으로 소매치기임을 직감하고 그 놈의 허리춤을 움켜쥐고 도망가지 못하게 막고서 가방을 같이 뒤졌다. 다행이 희정이 지갑을 다시 찾을 수 있었다. 그 놈은 억울하다는 듯이 자기 가방에 아무것도 없다고 제스추어를 했지만 어느 순간 물건을 훔쳐간 것이었다. 말로만 듣던 소매치기를 우리가 당할 줄이야! 순식간에 일어난 일이라 얼굴색이 하얗게 변한 아이의 놀란 맘을 진정시켜 주었다. 가족이 모두 함께 힘을 합쳤기에 소매치기를 물리칠 수 있었다. 파리에선 항상 소매치기를 조심하라는 스페인 가이드가 생각나는 순간이었다. 메르시 가이드 !

그런데 놀라운 일은 돌아오는 지하철에서 또 한 번 그놈을 만난 것 이었다.지하철을 타고 주위를 불러 보는데 익숙한 모습의 그놈 얼굴이 보이는 것 이었다. 나는 눈을 부라리며 당장에라도 잡으려고 뛰쳐나갈 듯 액션을 취하자 그 놈은 얼른 지하철을 내려 도망가는 것이었다. 차장 밖으로 내다보니 일당으로 보이는 여자와 둘이서 유유히 사라지고 있었다. 남 일이라고 여겼던 소매치기를 두 번이나 만나다니 황당하기도 하고, 어이가 없었다.

다행히 잃어버린 것은 없었지만 순탄하게 진행된 가족여행에 잊을 수 없는 에피소드를 남겨준 사건이었다. 막내가 웃으며 말하길 '파리에 대한 아쉬운 정을 떼려고 소매치기가 우리에게 온 것'이라고 말해서 온 가족 모두 박장대소 하며 그 말도 일리가 있다며 서로를 위로했다.

여행 후에

우리 온가족의 첫 해외여행은 이렇게 마무리 되었다.18박 19일의 짧지 않은 시간 동안 가족 모두가 즐겁고 유쾌하게 여행을 즐겼다. 출발 전에 여행계획을 세우고, 항공편을 예약하고 좋은 숙소를 찾기 위해 검색하고 각종 프로그램을 찾아서 애써준 두 딸, 그리고 여행 내내 활기찬 모습으로 분위기를 올려준 집사람과 막내 덕분이다. 가족여행이 성공적으로 끝난 것에 가족 모두에게 감사하다고 말하고 싶다.

이번 여행을 계기로 몇 가지 느낀 점

첫째, 여행체력을 키워야한다. 당연한 얘기지만 장기간 해외여행에는 체력이 필수

둘째, 외국어 공부를 열심히 하고 싶다는 것. 현지인들

과 최소한도의 소통 및 그들의 문화를 더 잘 이해하기 위해서도 영어는 물론 불어도 더 열심히 해야 함을 느꼈다.

셋째, 미술에 대한 관심이 커졌다. 프랑스 문화를 접하며 미술에 대한 호기심과 작품을 더 잘 이해하고 싶은 마음에 그림공부와 작가에 대한 이해를 더 넓히고 싶어졌다.

한마디로 이번 여행은 예술 여행이었다, 여행도 예술이었고 예술 사랑에 빠진 여행이라서...

고비에서 만난 인생의 고비

출발 전에

2019년 6월 처음 몽골을 여행했을 때 좋은 느낌과 여행의 기쁨이 너무 컸기에 언젠가 기회가 되면 반드시 다시 찾으리라 다짐했건만 코로나로 인해 유야무야 되었다. 다시 몽골을 간다는 소식에 맘이 설렜다. '인생의 고비에서 고비를 만나다'라는 캐치프레이즈를 내걸고 오플쿱 사회적협동조합이 추진하는 몽골 인문여행에 인생학교 동문과 지인들이 함께 참여하게 되었다. 이번에는 고비 사막을 간다하니 새로운 곳에 대한 호기심과 동경이 나를 들뜨게 했다.

첫 번째 고비

새벽잠을 설치고 오전 3시 20분 기상, 인천공항행 버스에 몸을 실었다. 공항까지 소요시간은 80분. 잠깐 눈을 좀 붙여볼까 했지만 버스는 어느새 인천공항 2터미널에 도착했다. 내가 제일 먼저 도착한 듯 주변을 둘러 보아도 사람이 없었다 한참 지나니 한 명, 두 명씩 일행들이 나타나기 시작했다.

이번 여행의 인솔을 맡은 여행사 몽골 캠프장이 일행들에게 여행일정, 주의사항, 출입국 관련 공지사항을 전달하고 난 후 8시 10분 몽골행 비행기가 출발했다. 기내식으로 비빔밥이 나왔는데 빈속으로 나온지라 고추장에 밥을 쓱쓱 비며 먹으니 꿀맛이었다. 잠깐 졸다 보니 어느새 칭기스칸 공항에 도착했다는 기장의 멘트가 들린다. 4년 만에 온 공항은 사뭇 달라져 있었다. 새로 지은 건물이라 깔끔하고 단정했지만 인천공항의 규모에 익숙한 우리에게는 다소 협소한 것이 마치 지방의 작은 공항에 온 듯한 느낌이 들었다.

공항에서 45인승 버스를 타고 첫 번째 목적지 바가가즐링 촐로 출발했다. 험난한 비포장 길을 4시간을 달려 목적지 인근에 도착했으나 전날 내린 비로 목적지 일대가 늪지대로 변해 더 이상 갈 수가 없단다. 할 수 없이 차를 돌려 2일 차 일정에 있던 만달고비로 향했다. 밤 10시경이 다 되어서야 숙소에 도착했다. 새벽에 집을 나와 19시간 만에 여장을 풀고 나니 몸이 고단해 그저 쉬고 싶단 생각만 들었다.

그러나 이것이 험난한 여행의 예고편에 불과할 줄 누가 알았으랴. 출발 전 여행계획서를 받았을 때 이번 여행이 차로 이동하는 거리가 만만치 않아서 쉽지 않으리라 예상은 했지만 첫날부터 강행군을 하고나니 그야말로 첫 번째 고비가 벌써 닥쳤나 싶은 게 꿈같은 여행에 대한 기대는 저 멀리 사라졌다.

차강소브라가

몽골은 사방이 내륙이라 바다를 볼 수 없는 나라이다. 그런데 과거에 바닷물 속에 잠겨 있었던 곳이 지각 변동으로 융기하여 웅장한 바위 언덕으로 변한 곳이 차강 소브라가 지역이다. 몽골의 그랜드 캐년이라 불리는 이곳에서 1시간가량 트레킹을 하며 푸른 하늘과 꿈틀거리는 바위를 배경으로 한껏 팔을 벌리고, 맑은 공기를 맘껏 들이켜며 사진을 찍으니 마치 포효하는 한 마리 몽골표범이 된 기분이었다.

고비에서 나는 무엇을 찾고자 하는가? 내 인생의 고비는 앞으로 얼마나 더 닥쳐올까? 사막에서 고뇌하는 포즈로 찍은 사진이 내 심경을 대변하는 듯했다.

율린암 계곡

겨울이면 영하 50도까지 기온이 내려가고 6월말인데도 두꺼운 얼음이 얼어있는 얼음골 계곡으로 가는 입구까지 승마체험을 했다. 몽골인 들에게 말은 어려서부터 함께 해온 친구이자 삶의 동반자이며, 말을 신성하게 여겨 말을 타는 것은 항상 조심스럽게 해야 한다고 가이드가 안

내해 주었다.

 말을 탈 때는 항상 왼쪽에서 타고 내리며 말 뒤로 돌아가다가 잘못하면 뒷발에 차일수 있어 조심해야 한다고 알려 주었다. 또한 붉은색 계통의 옷은 말의 시각을 자극해서 위험할 수 있으니 복장에도 유의해야 한단다. 특히 말위에서 사진을 찍는 것은 마치 운전기사가 운전대를 놓고 운전하는 것과 같이 매우 위험하다고 경고하여 바짝 주의를 기울여야 했다.

홍고르엘스 모래사막

 사막에서 낙타를 빼고 말할 수 없다. 낙타는 30일간 물을 마시지 않고 지낼 수 있으며 한 번에 6백kg의 화물을 운반할 정도로 힘이 좋은데, 몽골에서는 특히 쌍봉낙타가 유명하다. 모래산으로 알려진 홍고르엘스는 바람에 부딪히는 모래소리가 끊임없이 들려온다는 의미로 노래하는 모래사막이라고 불리운다. 사막으로 가는 길은 멀고도 험난했다. 덜컹거리는 비포장길을 가다보면 수시로 차가 모래밭에 빠져서 헛바퀴가 돌기 일쑤다. 앞차가 모래 수렁에 빠지면 뒷차 승객들이 내려서 차를 밀어 험로 탈출을 도와준다.

 아침 무렵에는 살짝 비가 오다가 낮이 되니 해가 났다. 사막의 기후가 변화무쌍함을보여준다. 4시간여를 달려 드디어 사막이 보이기 시작했다. "야~ 사막이다." 누구라 할 것 없이 환호성을 질렀다. 사막에 도착하여 모래썰매를 타려니 전날 내린 비로 물기를 머금은 모래가 썰매타기에 협조(?)를 안해준다.

힘들여 언덕위에서 썰매를 밀어도 얼마 못가서 멈춰서고 만다. "에잇! 더 높은 곳으로 올라가야지". 높이가 10m가 넘고 경사도 30도 이상 되는 곳에서 무서움을 무릎 쓰고 내달리니 비로소 모래썰매가 속도를 내며 스릴을 만끽하게 해준다. 그래 이 맛이지". "썰매는 속도가 나야 제 맛이지, 하~하~하". 모두가 동심으로 돌아가 모래썰매를 타며 한바탕 웃음으로 스트레스를 날렸다.

4년 전에는 썰매가 일곱 빛깔 무지개 색으로 다양했는데 이번엔 빨강과 파랑 두 종류 뿐이라 인생샷을 건지기에는 부족하다며 우리끼리 아쉬워했다. 하지만 뭐 어떤가 즐거우면 된 거지. 어른들의 썰매놀이는 이렇게 멋진 사진으로 저장되었다.

반얀작 공룡화석

세계최대의 공룡화석 발굴지 반얀작에서는 17분간 기록영화를 관람했다. 다큐멘타리 흑백영화는 발굴 당시 사전 준비 작업, 발굴의 의의, 현장 사진 등 그 당시 모습을 생생하게 보여주었다. 날씨는 청명한 한국의 가을하늘을 연상시킬 만큼 새파란 하늘과 흰 구름이 멋진 대조를 보이며 마치 한 폭의 그림 같은 풍경을 연출하고 있었다. 잠을 자는 둥 마는 둥 하다가 이른 새벽에 일어나 몽골의 별을 보았다. 북두칠성과 은하수, W자 별자리 등을 보려고 너도나도 선잠을 깬 채로 담요를 뒤집어쓰고 하늘을 쳐다봤다. 솔직히 4년 전 테를지 국립공원에서 보았던 별보다 흐릿하고 밀도도 낮아서 감동이 덜했다.

별이 된 내 친구

고비사막에 가 있는 동안 와이파이가 잘 안 터지고 궁금한 소식도 없어서 휴대폰은 오직 사진 찍는 용도로만 쓰고 있었는데 그날따라 인터넷이 잘 연결돼서 국내소식을 카톡으로 보는데 이상한 낌새가 느껴졌다. 절친이자 학교동창이던 H가 갑자기 歸天했다는 청천벽력같은 소식에 나는 넋을 잃고 말았다.

어찌 이런 일이? 친구들을 좋아하고 인정 많고 맑은 영혼을 가진 나의 둘도 없는 친구의 갑작스런 비보에 나는 어찌할 바를 모르고 차안에서 오열했다. 몽골 밤하늘에 잘 안 보이는 별을 보려고 헤매이던 그 순간 나의 친구는 사경을 헤매이다 결국 하늘의 별이 되고 말았구나 생각하니 인생이 허망하고 또 한 번 나에게 인생의 고비가 왔구나 싶었다.

울란바토르

자이승 전승기념탑은 2차 대전 당시 몽골군과 러시아 연합군이 독일로 진격하여 승리를 거둔 역사를 기념하여 세운 탑으로 언덕위에서 울란바토르 시내를 한 눈에 조망하기 좋은 곳에 있다. 마지막 일정에 이태준 열사 기념 공원을 들렀다.이태준 선생은 우리나라 독립운동사에서 크게 알려지지 않았지만 일제 강점기에 몽골 울란바토르에서 항일 독립운동에 앞장섰을 뿐만 아니라 몽골의 의료 활동에 진력하다가 뜨거운 삶을 마감하신 분이다. 선생의 나라사랑 정신과 숭고한 박애정신에 옷깃을 여미고 추모했다.

여행 후에

4년 만에 다시 가본 몽골, 고비사막은 일생에 한 번쯤은 가볼만한 곳이다. 사막이 들려주는 태고의 이야기와 장엄한 대초원, 흘러가는 바람과 밤하늘의 별은 어제와 똑같은 것은 없다는 것을 말해준다. 어리석은 인간만이 영원함을 찾아 헛된 꿈을 꾸며 오늘을 사는 것은 아닐지...

서부 5기 인생 정모

이게 얼마만이야? 비행기 타본 지가? 코로나 때문에 여행도 맘껏 못하고 움츠리고 살아온 세월이 어언 3년이 지났네! 개인적으로는 서부 5기 단체여행 몽골을 갔던 2019년 이래 만 4년 만에 비행기를 타는 것이라 감개가 무량했다. 코로나 때문에 세상이 변한 것이 한두 가지가 아니라지만 여행도 못가고 다람쥐 쳇바퀴 돌듯 집주변만 맴돈 시간이 그리 길었나 싶다.

서부 5기가 해외(?)에서 정모를 하기로 의기투합하여 제주정모를 성사시키기까지 배경을 잠시 설명하자면, 작년 12월 제주에서 살고 계시는 5기 동기 K선생이 모처럼 정모 참석차 서울 나들이를 온 김에 우리 동기들이 K선생 계실 때 제주를 한 번 가보자 말이 나와서 봄 정모를 제주에서 하는 것으로 뜻을 모았다. 정모 날짜와 시간을 정하고 장소 및 당일 숙박을 김 선생의 거처로 제공하신다 하여 정모가 전격적으로 성사되었다.

정모 장소는 중문바다가 앞마당처럼 펼쳐진 곳으로 각종 꽃들이 화단처럼 펼쳐진 그야말로 뷰가 끝내주는 곳이었다. 김 선생의 설명에 의하면 거처를 물색할 때 6개월간 물색하면서 오로지 뷰가 좋은 곳을 제1의 조건으로 내걸고 찾은 곳 이라하니 말해 무엇하랴 싶었다. 제주 정모를 하기로 정하고 나니 단 하루 정모로는 장소가 장소인지라 본격적인 여행을 해야겠다 싶어서 정모 앞뒤로 날짜를 더 잡아서 팀별 여행으로 컨셉을 잡았다. 그래서 잔차방팀은 제주 라이딩을, 관광 팀은 차로 명소관광을 계획했다. 나는 관광팀에 합류하여 2일차부터 여정을 함께했다.

2일차는 우도 탐방이었다.

우도는 예부터 소섬이라 불리우는 섬으로, 소가 누워있는 모습과 같다고 하여 이름이 붙여졌다고 한다.우도 팔경을 자랑하는 신비한 섬,파란바다 한가운데 솟아있는 평화로운 섬이다(안내 팜플릿)

설레는 맘을 안고 성산항에서 배를 타고 우도에 도착하니, 하늘도 무심하시지 한 방울 두 방울 비가 오기 시작하더니 점심 식사 후 본격 탐방을 하려니 빗줄기가 거세지면서 도저히 걸어 다니기 어려운 날씨라 까페에서 우도 땅콩 아이스크림을 먹으며 가수 임영웅 사진만 실컷 감상하고 나왔다.(까페 주인이 임영웅 열혈 팬이셨다)날씨가 좋으면 두세 곳 들러 볼 참이었지만 우천관계로 검말레 해변(모래가 검은색이라 붙여진 이름)에 내려 검은 바위와 절벽만 구경하고 다시 배로 돌아왔다.

저녁에는 본격적으로 5기 정모를 중문바다가 아름다운 항해진미란 식당에서 만찬을 즐겼다. 각종회가 색깔별로 플레이팅된 고급스런 회 한상차림이었다 박회장의 표현을 빌리자면 역대급 고급 호화만찬이라고 하여 즐거운 담소와 함께 맛난 저녁을 즐겼다. 식사를 끝내고 뒤풀이는 숙소에서 했다. 쉿, 369게임, 베라31게임 등 재미있는 게임으로 웃고 떠들며 왁자지껄한 시간을 보낸 가운데 벌주 마시기, 기부금미션 등 기상천외한 아이디어를 제공하신 주인장의 재치가 돋보인 순간이었다.

3일차는 빛의 벙커란 환상체험을 했다.

빛의 벙커는 옛 국가기간 통신시설이었던 벙커를 국내 유일 몰입형 예술 전시관으로 재탄생시킨 문화재생공간이다.새롭게 재해석된 거장들의 작품들이 재생된 공간 속에서 역동적으로 되살아나 전시를 온전히 느끼며 감상할 수 있다.(인터넷 소개글)

폴 세잔의 작품을 빛과 색깔이 보는 이로 하여금 어지럼을 느낄 정도로 멋지게 재창조하여 보는 내내 눈과 귀가 호강한 환상체험이었다. 바닥에 앉아서 관람할 수도 있어서 잠깐 졸멍 쉬멍 감상했수다. 제주 여행을 계획하시고 있다면 꼭 가보라고 강추 하고 싶다. 이번 제주여행에서 제일 감동적인 기억의 한 장으로 남을 인생명장면이었다.

야송 갤러리 가을추억

　인생학교 서부 5기가 홍성에 있는 야송(윤판원 동기의 號) 갤러리에서 가을 정모를 위해 뭉쳤다. 봄, 여름, 가을, 겨울 계절마다 한 번씩 정모를 하는데 가을 정모를 1박 2일로 홍성에 있는 야송갤러리에서 하기로 여름 정모때 미리 약속을 했다. 이 날이 오기만을 손꼽아 기다리던 차에 금요일 아침 설레는 마음으로 약속시간에 맞춰 공덕역으로 갔다.

　이날 승용차 팀은 박회장 승용차로 짱미, 코코미, 백일홍, 짱구, 맛사마 6명이 출발했고(1호차), 2호차는 불광에서 본선, 앨리스, 장팡 3명이 출발했다.(2호차) 기차 팀은 용산역에서 미소천사, 향기가 첫사랑의 추억을 되새기며 낭만의 기차를 타고 출발했다. 마지막으로 인생버킷리스트 하나를 지우고자 과감히 서울에서 홍성까지 무려 160Km 를 홀로 자전거 라이딩에 도전한 곰같은 사나이 곰탱이(이재영 샘)가 무려 10시간을 달려 홍성에 도착했다. 그 용기가 가상하여 도착하는 순간 테이프 컷팅 세리머니와 폭죽과 박수로 축하하며 감동의 순간을 영상에 담았다.

　홍성 가는 길에 서산 보원사 절터와 용현리 마애여래 삼존불상을 다함께 감상했다.

3 만평 넘는 부지에 자리 잡은 보원사 터는 10 세기경 만들어진 것으로 추정되는 석조(보물)를 비롯 당간 지주, 오층석탑, 법인국사 보승탑, 법인국사 보승탑비 등 유물과 초석이 남아있다.

(한국 민속 문화 대백과 인용)

고등학교 때 국사책에서 배운 서산 마애삼존불 국보 불상의 모습을 친견하는 영광을 누렸다.

서산 용현리 마애여래 삼존상은 우리나라에서 발견된 마애불 중 최고의 작품으로 손꼽힌다. 얼굴 가득히 자애로운 미소를 띠고 있어 당시 백제인의 온화하면서도 낭만적인 기질을 엿볼 수 있으며 '백제의 미소'로 잘 알려져 있다. 빛이 비치는 방향에 따라서 웃는 모습이 각기 다르게 보이는 특징이 있다

(마애여래 삼존상 안내리플렛 인용)

저녁에는 야송 갤러리 앞마당에서 날꽃 밴드의 라이브 공연이 펼쳐졌다. 어둠이 짙어가는 가을 저녁에 은은한 조명이 비추는 무대를 배경으로 위스키 온더락, 붉은 노을, 내일 그리고 분위기에 맞춰 모두가 떼 창으로 한잔의

추억을 목청껏 불러 제치며 술잔을 부딪치니 이보다 더 흥겨운 순간은 없으리라. 박 회장은 서울부터 홍성까지 승용차로 운전기사를 자처하더니 홍성에서는 배추, 부추, 호박전을 능숙한 솜씨로 부쳐내니 이건 마치 잔치 집에서 전 부치는 마을 아낙네 모습이라. 너도 나도 한 입씩 먹어 보곤 엄지 척을 하는 지라 그 맛에 감동하고 그 정성에 감탄을 금할 수 없었다. 저녁을 마치고 야송 갤러리에서 흥겨운 게임으로 한 바탕 웃고 즐겼다.

둘째 날 아침은 해장라면으로 속 풀이를 하고 주인장 안내로 동네 한 바퀴 아침산책을 즐겼다. 이 곳은 마을 앞에 호수도 있고, 누렇게 익어가는 벼가 가을이 깊었음을 알리는 가운데, 익어가는 감나무 아래서 사진도 한 장 찍어주고 동네를 샅샅이 살피며 돌았다. 집에 돌아와서 명랑 운동회를 열었다. 배드민턴 복식 경기로 그 동안 굳어진 몸을 풀고 단체 줄넘기로 협동심도 배양하고, 제기차기, 풍선놀이로 어릴 때 가을 소풍간 아이들처럼 맘껏 웃고 즐거운 시간을 보냈다.

돌아오는 길에 홍성 읍내에서 먹은 냉면과 불고기는 그 맛이 정말 좋아서 기대 이상의 만족을 안겨 주었다. 귀경길은 토요일 주말이라 그런지 고속도로가 정체로 막혀서 좀 힘들긴 했어도 박 회장의 졸음을 참고 운전한 살신성인 덕분에 무사히 서울에 도착할 수 있었다.

항상 느끼는 거지만 우리 서부 5기가 이렇게 단합이 잘되고 모임이 즐거운 이유는 박 회장의 주도면밀한 준비와 탁월한 리더쉽에 힘입어 모두가 즐거운 시간을 보낼 수 있기에 항상 감사하는 마음으로 5기 모임을 기다리게 된다. 어김없이 이번 정모도 흔쾌히 갤러리를 숙소로 제공해준 야송 선생과 공연으로 분위기를 띄운 날꽃 밴드, 그리고 박 회장과 5기 동기분 등 모든 분들의 노고와 헌신 덕분에 잊을 수 없는 추억을 만든 가을 정모였다.

슬기로운 은퇴생활

발　행 | 2023년 12월 13일
저　자 | 손준호
펴낸이 | 한건희
펴낸곳 | 주식회사 부크크
출판사등록 | 2014.07.15.(제2014-16호)
주　소 | 서울 금천구 가산디지털1로 119, SK트윈타워 A동 305호
전　화 | 1670 - 8316
이메일 | info@bookk.co.kr

ISBN | 979-11-410-5935-4

www.bookk.co.kr